プロだけが知っている
届くデザイン

ONLY PROFESSIONALS KNOW

鎌田隆史
Kamata Takashi

旬報社

はじめに

『プロだけが知っている届くデザイン』を手に取っていただき、ありがとうございます。

本書はデザイナーを目指す方達やデザインの世界に足を踏み入れて間もない方達、また、プロとしてお仕事を続けながらもさらなるステップアップを目指す経験者の方達にも読んでもらえる内容だと思っています。

この本は前著『センスがないと思っている人のための読むデザイン』の「図版や挿絵などを最低限にして文章だけでデザインの素晴らしさを伝える」というコンセプトを引き継ぎ、ほぼ文章だけでデザインの本質や上達法を伝える事を目指しました。

現在人気の「参考ビジュアルが満載のデザイン本」に見慣れた方は、もしかしたら物足りない印象を持たれるかもしれませんが、言葉でキチンと咀嚼し、理解して腹落ち出来たら、いちいち参考ビジュアルを見なくても一から自分でデザインを作り出せるようになるはずで、かえって一生もののスキルが身につくはずです。文章での理解＝論理的な理解、となっていわゆる「再現性」を手に入れる事が出来るからです。

また、この本では、デザインを若い時から専門的に学んでるわけではなく、別のお仕事をしていたけど、ある時、デザインの世界に興味を持ってデザイナーを目指し学び始めたような方へ「未経験からどのような段階を踏んでデザイナーになれば良いか」いわゆるマイルストーンやロードマップと呼ばれるものも提示し、その理由まで書かせてもらいました

もちろん、それぞれ読者の皆さんの置かれた立場が違うので、確定的なものとして書くのは難しいのですが、一番基本的なパターンとしてご自分に照らし合わせてロードマップを見るだけでも十分参考になるかと思います。

昨今、高額な受講料（50万円以上）設定の割に内容の薄いカリキュラムのデザイン学

校が、初心者の方を相手にオンラインから個別の学校説明会へ誘導して入学申し込みをさせてしまうような事案が多く見られるようです。

「どういう学び方をすれば良いか・どうやってデザイナーになっていけば良いか」俯瞰して捉える情報が、世のデザイン本にも少ないようで（そういう内容に紙幅を使って良いか？　葛藤も正直ありましたが）、デザイン業界のレベルが下がらないよう、騙される方がいないように、何が間違っている情報なのか？　も経験者の立場で可能な範囲で伝えるべきかと思いました。

「デザインというお仕事はリモートで簡単にお金を儲けられるお仕事です」という言葉を鵜呑みにしないように「行ってはいけない悪質なデザイン学校」もパターン別にご紹介していますので、一人きりでプロを目指して頑張っている方のリアルな職業ハンドブック代わりにも使っていただけると思っています。

また、僕自身、制作会社でデザイナー採用担当として50人以上の応募者の方の面接をさせてもらった経験もあるので、ポートフォリオの基本的な作り方や就職・転職活動などについても詳しく書かせてもらいました。

この「ポートフォリオにどんな内容を載せれば良いのか？」また「面接で気をつける事は何か？」なども、具体的に書かれたデザイン本はほとんどなかったので、是非参考にしていただけたらと思います。

何か、キャリアに関わる部分ばかりの内容のように見えるかもしれませんが、一人きりでスキルアップをするための上達法や、比べることでレベルアップ出来る方法、また（食わず嫌いの方が多い）過去のデザイン史を、皆さんの持っているデザインの元ネタと掛け合わせる事で、「新しいデザインのネタ帳」に書き換えるためのヒントなど、まさに「学校では教えてくれない、現場で役立つデザインの学び方」をこれでもか！と詰め込ませていただきました（結果、前作から100ページ増の書籍となりました）。

本書を読まれた読者の方が、「デザインの深さ・面白さ」に気がついて、何か一つでもご自身のデザインワークに活かしてもらえたなら、こんなに幸せな事はありません。

2023年9月

鎌田隆史

目次

実践編

いまのレベルを知るためのデザイン上達法

2章　レベルアップ・キャリアアップする

現場編　デザインをブラッシュアップしてレベルアップする

就職・転職編　デザイナーとしてキャリアアップする

3章 デザイナーになるためのロードマップ

4章　届くデザイン

1章

一人で出来るスキルアップ

デザイン上達に必要な「知識」

一人前のデザイナーになるために「何が大切か」というと、とにかく、作りまくる事が一番かと思います。やはり「経験」が何より大切なのは確かですから。

でも、その経験を支えるのは「知識」です。裏を返せば、ただ知識もなく「何を目指して作るのか？」わからずに作っていても、良い結果につながる可能性は低いでしょう。「知識が経験を支える」、とは言い方を変えると、そもそも素晴らしいクリエイションがどういうものか知らなければ、それを目標にして経験を積む事も出来ないという事です。

デザインとは数値化が出来ないものだからこそ、自分の中でどこに目標を設定するかは非常に大事なポイントです。ですから、知識を持っている人のほうが、爆発的にスキルを伸ばす可能性を秘めているはずです。

この「知識編」で「知識を蓄える面白さ」を知っていただき、健全な「知識欲」を、長いデザイナー人生を走るための「自走力」に変えていただければ嬉しく思います。

一人きりでもデザインが上手くなるために

前著『センスがないと思っている人のための読むデザイン』を読んで下さった方々から戴いた感想の中で「デザインについてこんな見方があるなんて、知らなかった」という感想がいくつかありましたが、コレも読者の方々が、**「デザインの新たな見方」**という「知識」を手に入れたからだといえます。

実践編だけお伝えしても、効果は十分あると思います。でも、その前にここで書いた「一人きりでもデザインが上手くなれる方法」や「過去から学ぶ方法」を知っていただき自分のスキルアップに活かしてください。

本気でデザイナーとして生きていくなら長い旅になるでしょう。知識とはその旅に必要不可欠な食糧や水のようなものです。是非、自分を歩かせるエネルギーの素を、自分一人で楽しんで補給してください。

「知識×経験」こそ、デザインスキルを底上げする、唯一の方程式だと思います。

いずれにせよ、この章は、知識編を含めて『読むデザイン』でも評判が高かった、他のデザイン本にはない**独自のデザイン上達法の章**となります。

デザインの基本原則＝デザインの共通法則

良いデザインを作るためには、十分にデザインの知識を手に入れ、デザインの表層だけではなく、本質を掴む必要があります。そのためのいくつかのポイントについて、この章ではお伝えしていきます。

まずここでは、色やレイアウトについて、**少し見方を変えて学ぶだけで、確実に実力がアップするような上達法**をお伝えします。こちらは、知識編に入れていますが、「実践的な知識」といえるかもしれません。

もう一つお伝えしたいのは、過去の優れたデザインやいくつかのエポックメイキング的な出来事を知る事によって、自分の中に**「高いレベルの物差し」**を作るという方法です。これらは主に美大や専門学校などの専門的な教育機関で体系的に教えていましたが、これだけ情報が溢れている今、どこからでも学べるはずです。

また、**過去のデザイン史などの情報は、単純にネタとしても重宝する**ので覚えていて損はありません。その情報がたとえ古かろうと、あなたにとって初めて見るものなら、それは**あなたにとってまったく新しいデザインの知識**なのですから。あなたのデザインの引き出しにしまえば良いと思います。

正直、このどちらの知識を持っていたとしても、いきなり、今、作っている目の前のデザインの質が上がるわけではないでしょう。でも、**ある時、そういう知識の積み重ねがあなたを助けてくれる**はずです。

デザインの基本原則とは？

では、始めていきましょう。

「デザインの基本原則」って何でしょう。

例えば、レイアウトでは、同じ意味合いを持つ画面要素をひとまとまりに集め、同じ仲間としてわかりやすく伝える事を「近接」といいます。ほとんどの人が知っているデザインの基本原則です。

なぜ、これらを「原則」と呼ぶのかといえば、**人間の本能的な部分に関連する法則で**、人それぞれの好みとは別に、**問答無用ですべての人達に働きかける力**があるからです。そんな便利なものがあれば覚えないと損ですし、「センスというものの一つの正体」として、覚えておいた方が良いでしょう。

デザインに正解はないといいますが、ほとんどの人が「美しい」と感じてくれるルールのようなものがあれば、一つの「型」として押さえておくべきです。どんなものがあるのか知りたいのであれば、基本原則を網羅している本を一冊購入し、辞書代わりに持つ事をおすすめします。

しかし、基本原則をデザインに使う時に、一歩踏み込んで考えてもらいたいのは、**「基本原則≒共通法則」**という見方です。

身の回りのデザインで「共通」して使われているテクニックは何だろうと探していく姿勢・見方は、非常に大切です。「本に載っているから」という理由ではなく、多くのデザイナーが共通して使っているからこそ、それだけ大切なルールとして認められ、基本原則として本に掲載され、紹介されているのです。

電車内の中吊り広告、駅にある旅行パンフレット、駅ビルの雑貨屋さんのディスプレイなど、身の回りのデザインを色々と見て「自分なら、どうデザインする?」と考えていく事は非常に学びになるインプット方法です。しかし、もう一歩踏み込んで、それら**身の回りの沢山のデザインの中で「共通」して使われているデザインの法則**を意識して探していくと、デザインの上達がさらに早くなるかと思います。

デザインの参考書を読んで、基本原則を一通り頭に入れたうえで、身の回りのデザインから、「ああ、このルール（基本原則）、またここでも使われている。**こんなに共通して使われてるという事は、デザインするうえで、本当に大事な『原則』**なんだ」と実感する事が大事だと思います。

基本原則は、ＳＮＳで「これだけ覚えれば大丈夫！」と誰かが載せていたりもしますが、大抵は「なぜその基本原則を使うのか？」などの理由は説明されてないものばかりなので、デザインの参考書から学んだ方が何倍も効率的です。

例えば、「色」に絞って「基本原則」を探してみますと、マックやケンタッキー、バーガーキング、吉野家と誰もが知るファーストフード系のお店のコーポレートカラーは、大抵「暖色系」ですよね。

そう、共通して誰もが知る外食ブランドが暖色を使っているので、**「外食産業のお店のブランドカラーは暖色系」という法則**が導き出されます。

食欲をそそる色＝暖色なので、外食産業の大手の企業が、赤やオレンジをコーポレートカラーにするのは当然だと、実感を持った共通法則が自分の中に一つストックされます。ここで、思索を終えても良いのですが、**「例外はないだろうか？」**と考えていくのも、一段深い学びになります。そう、人気の外食チェーンなのに、暖色系の色味を使っていないお店はないか？　なんて探ってみるわけです。

僕が思いつく例外は、スープストックトーキョーです。ロゴ・マークやお店のスタッフさんのユニフォーム、多分、黒と白以外は使っていないです。なぜでしょう？

ここで、創業者の発言などから答えを調べてくる前に、**「なぜなのか？」**を自分なりに考えてみてください。

例えば「スープストックトーキョーでは、いくつか定番はあるけど、しょっちゅうスープの種類が変わるな、もしかすると沢山ある『スープの色』を際立たせるために、ロゴであったり、スタッフのユニフォームは、あえて『黒と白のみ』にしているのか？」とか。「他の外食チェーンの企業ロゴカラーに、暖色が使われているから、競合との差別化のためにあえて、基本原則の真逆を狙っての、色選びなのか？」とか。

答えが正しかったかどうか？　より、自分事として、**説得力のある答えを導き出せれば、それで十分学びになります。**

身の回りのデザインから、**共通して使われる法則を確認するのと同時に、そこから**

外れている例を探してみると、より深くデザインを学べると思います。

では次の例です。駅ビルとか百貨店で見かける「新春売りつくしセール」というポスターには、大抵「30%~40%オフ!」といった威勢の良い数字が並びます。「30」と「%」のフォントサイズを見ると、「30」という数字のフォントサイズのほうが大きくデザインされているものばかりではないでしょうか。

何が大事かを考えるなら「30」さえ伝われば、セールっぽいビジュアルとの合わせ技で、ユーザーは「30%引き」とわかる、それなら限られたスペース内で、**「30」だけを大きく強調したほうが、視認性が上がり、より「売り尽くしセール」に来てもらえる可能性は高くなります。**

このように、巷のデザインの共通項から逆算して**「最適解という名の共通法則」**を導き出せると思います。

逆を言えば、街にあるデザインでまったく使われていない基本原則なんて、積極的に覚える必要はないかもしれません。

「知識のための知識」みたいな基本原則は放っておき、実践で本当に使われてる共通法則を覚えていくほうが、トレンドに合った「生きた基本原則」を手に入れる事が出来ます。

共通して使われている法則の中に「基本」はある

やはり「デザインの基本原則って何か?」と問われれば、「街に溢れる素敵なデザインに息づき、皆が共通して使っているデザインの法則（作り方）」という答えになると思います。

是非、教科書を覚える感覚ではなく、**巷で共通して使われる「共通法則」を探すようにしてみてください。**そこに「あなたが上手くなるためのヒント」があるかもしれません。

本に載っている知識と、あなた自身の観察の「両輪」でデザインを捉え、理解する事こそ、上達への近道です。もちろん、実際に自分の手を動かして自分でデザインを作る事が出来れば、それが一番効果的です。

でも、巷にあるクオリティの高いデザインをいくつか見て**「共通して使われている法則」を学び、使えるようにしていく方法**は、一からデザインを作りながら基本原則を学ぶやり方に比べ、ずっと効率的です。なぜなら、**プロが実際、どのように「基本原則」を使っているか？　も同時に学べるからです。**

いずれにせよ、身の回りのデザインをいつも気にして欲しいのは、あなたのデザインの質を高めるためです。まず圧倒的にデザインを見る量を増やすようにしてください。ショートカットをしてはいけません。

特にデザイン初心者は、〝見る量〟が少ない気がします。スキマ時間に少し見るくらいでは、足りません。目が覚めている時間であれば、いつ・いかなる時でもデザインに触れているくらいで丁度良いと思います。

学校帰り・会社帰りに一つ、電車の中吊り広告を見て、「今日一日のインプット完了！」では、いくら何でも少ないでしょう。もし、プロのデザイナーとしてお仕事するつもりでしたら、**今活躍しているデザイナーと競う事になります**ので、時間をかけずに差を縮めていかなければなりません。

まず、意識して出来るだけ多くのデザインを見るようにしましょう。

抽象度が高い法則(情報)で再現性を上げる

次に、質を上げるために出来る効果的な方法をお教えします。

それは、身の回りにある「素敵だな」と心から思えたデザインについて、**「なぜ素敵なのか?」**を言葉にして誰かに説明する事です。可愛いから、何だか格好良いから、というふわっとした抽象的な言葉を使わずに、出来るだけ論理的で具体的に説明するように試みてください。


これを、自分で一からデザインする時の予行演習のようにやっていくと、自分がデザインを作る時の**「筋道立ったコンセプトメイキング」に役立ちます。**

そして、例えば自分よりも実力が上の先輩にその説明を聞いてもらい、正しくツッコミを受けると、より効果的です。

最初のうちは、多少強引でも構いません。


例えば、今、僕はこの原稿をスターバックスで書いていますが、店内の壁の紺色とオレンジに近い山吹色の色合わせが素敵だと感じたら、**なぜその色味がそんなに素敵**

なのかと基本原則に照らし、答え合わせをしてみます。

多分、その色合わせが素敵なのは、山吹色と紺色の2色の色合わせが、補色に近いため、適度に刺激し合ってはいるもののハレーションを起こすほどではなく、丁度良い刺激を与えてくれるからでしょう。

これはただの2色の色合わせの理由を書いてますが、これだって**「補色を少しずらした2色の合わせは、インパクトを与え、しかも心地良い色合わせになる」**という、プロのデザイナーが意識的・無意識的に使っている色の基本原則といえます（ここについては27ページの「いつも心に色相環を」で詳しく触れます）。

ここで大事なのは「山吹色と紺色の色合わせは素敵」だと1パターンだけを覚えるのではなく、「補色に近い2色の合わせは、素敵な色合わせになる可能性がある」という、一段高いレイヤーにある、**抽象度の高い法則**として覚える事です。

「抽象度が高い法則（情報）」って少しわかりにくいですが、つまり、**色々なパターンのデザインに応用出来る情報（基本原則）**という事です。

もっと言えば、他のデザインでも使い回せるので、**「再現性が高い知識」**として、あなたの確実なスキルの一つになります。そして「最大限、抽象度が高い情報」＝「基本原則」といえます。なので、この基本原則をきちんと、自分の体に染みついた知識として、使いこなせるかどうかが、プロのデザイナーとして非常に大事なわけです。

大切なのは**「感じた事」**を**「論理的に説明する力」を持つことで、どんなデザインを作る時にも使える「再現性があるスキル」にまで、育て上げることです。**

「よし、今日はデザイン本を読んで基本原則を知識として覚えるぞ」だけではなく、**身の回りのデザインを見て、基本原則がどのように使われているのか**、それによってどのようにデザインが良くなっているかを注意して見てみる事が重要です。

さて、レベルアップにつながる、デザインのポイントは2つあります。一つは**「配色」**。そして、もう一つは**「レイアウト」**です。

前著『センスがないと思っている人のための読むデザイン』では、「『センスのいいデザイン』の正体」として1章を割いてこの2つを解説しました。

ここでは、より簡単に、色とレイアウトを決めていく感覚の掴み方と練習方法をご説明します。「配色が苦手で色の本ばかり買ってしまう……」という方や、いつも同じようなレイアウトを作ってしまうデザイナーには、特におすすめの内容かもしれません。

色選びに悩む人へ「いつも心に色相環を」

たまに、「デザインがなかなか上手くなりません！　センスがないような気がして……」と相談して下さる方がいらっしゃいます。

その方々に共通しているのは「じゃあ、**ご自分では何が苦手だと思いますか？**　何のセンスが足りないと思いますか？」とお聞きすると、具体的な答えはほとんど返ってきません。そう、自分が「何が」苦手なのか、「何が」出来ていないのかについて、きちんとわかっていない方が多いように思います。

「色」が苦手で、色感が足りないのか、レイアウトにとにかく時間かかってしまうのか、フォント選びでいつも迷ってしまうのか。それぞれ**苦手な部分によって鍛えないといけないスキルが変わり、実践法も変わります。**

ですから、まず、**自分が苦手なところ**を自分がわかっている事が一番大事です。この本では「色」「レイアウト」に分けて、ピンポイントで自分のスキルを上げていくコツをご紹介します。

　僕に質問して下さる方は、レイアウトやフォントより圧倒的に「色」についての相談が多いですが、細かいテクニックや盛りだくさんの話を書いても、逆によくわからなくなってしまうでしょうから、一つポイントを絞って書いてみます。

　簡単ですけれど、とても重要な「色の見方・考え方」です。「上達法」というほどには体系化されていないので、どちらかといえば「考え方」の話です。

　その方法は、**配色を考える時に「色相環」を、心の中に思い浮かべる事**です。

「へ、それだけ？　色相環ってあの色環の事？」と思った人は多いでしょうし、もしかすると「色相環って何？」という方もいるかもしれません。確かに「色相環」って、あまり聞いた事のない言葉ですね。まず、日常生活の場で出てくるものではありません。

「色相環」って何でしょうか。とりあえず、ご説明してみましょう。

「色相環」とは、文字通りに色の〝環《わ》〟で、例えば、12色なら12色の色相を時計のように円にそってまる〜く並べていったものです。こんな拙いご説明でわかってもらえるか非常に不安なので、百聞は一見にしかず！　という事で、お手数ですが、ネットでググって、色相環の絵を見てください。
「色相環」あるいは「色環」の画像検索で構いません。**画像で見れば一目瞭然**ですね。
「ああ、こういうものか」とおわかりになったかと思います。多分、皆さん一度は目にされた事があるのではないでしょうか。この「色相環」についてのお話です。

緑の反対は何色？

「色相環をイメージする」とは、具体的には、あなたがネットでも雑誌でも街でも実生活でも何でも、綺麗な色合わせを見つけた時、例えば緑色と赤色の配色を綺麗だと感じたのなら、その2色が**「色相環の上で」どこにあるかをイメージして欲しい**のです。そして色環上での2色の関係性を探ってみてください。

単純に「2色の距離関係」を見れば良いです。2色以上の色合わせを見る時、全体の色相環の中で、それらの色達がどこに位置するのか、常に意識してもらいたいのです。

例えば、**緑色と赤色であれば「対角線」の反対の位置**にありますよね。つまりは「補色同士」の関係というのが一目でわかります。補色の例でよく挙げられるのがセブンイレブンの看板だったりします。色は、鮮やかな緑と赤が使われています。

この色合わせは補色関係に近い配色なので、**インパクトがある事は確か**です。赤色と黄色でしたら色相環の中でかなり近い位置にありますし、周りに並ぶ色味を見て暖色系の色相だという事がわかります。

トライアドとは？

さて、もう一歩、配色について踏み込んでみましょう。

街で見かけたポスターがとても綺麗な色合いで、「オレンジ色」「青色」「赤色」の3色がメインカラーとして配色されていたとしましょう。それを見て「綺麗だなぁ」とただ感心するだけではなく、頭の中の「色相環」で3つの色が、どこに位置しているかをイメージします。

すると**3つの色が**（円の上で）**ほとんど等間隔の距離**に位置し、3つの色を結んでみると**ほぼ正三角形になる**事がわかります。

こういう3配色は「トライアド」という配色方法（パターン）**であり、テクニックの一つ**として確立もされています。

一般的には3色が色相として適度に離れていると、バランスの良い配色になるといわれています。

これも「色相環」を心の中でイメージし、3色の間の距離を、何となくでもイメージ出来ていないと、トライアドという言葉だけ覚えていても、実際にデザインに活かす事など出来ません。頭に入れるコツは、それぞれの色が色相環の中でどれくらいの距離にあるのか、とにかくイメージして、**視覚的に捉える**事です。

トライアドのようなテクニックに関しては、デザインするうえで、諸刃の剣のようなところもあります。何でもかんでもこの法則に当てはめようとしても、当てはまらない時もあるので、変に固執しない事も大切です。

やはりデザインは生モノで、案件それぞれで条件が違います。配色などで気をつけなければならないのは、画面上に存在しているのは、あなたが意識している色だけではないという事です。**周りにある色味、例えば写真素材を使用していたら「その写真の中」の色味も影響**してくるので注意が必要です。「この配色なら絶対、大丈夫」という配色帳っぽいデザイン本が、ほとんど本番で使えないのは、そんな理由もあると思います。

トライアドのような法則は、昨日覚えたから今日使えるわけでもなく「そういえばあの法則あったな！」と思い出すくらいが丁度良いかもしれません。

基本的には色を考えるベースとして、**色相環を色のコンパス**のように頭に置いて、色の世界を旅してみたら迷う事なく目的地に着けそうです。

「色相環」という〝環《わ》〟を、いつでも心の中にイメージする事を、心がけてみてください。

「色の距離感」から「色の関係性」の理解へ

少し具体的に、色相環についてご説明しておきます（もしスマホなどがあれば、色相環を見ながら読んでいただくと、よりわかりやすいかもしれません）。

色相環の良い点としては、直感的にわかるというポイントが挙げられます。まさにデジタル時計よりアナログ時計のほうが、パッと見でわかるのと同じです。デジタル時計だと14時なら14時という事実だけしかわかりませんが、アナログの時計なら12進法の全体の中で14時がどのあたりにあるか、他の時間との関係から、感覚的に理解出来ると思いませんか。

それぞれの関係性を探る時、**それぞれの距離感を摑めば良いので直感的にイメージ**

しやすいですよね。

例えば、あなたが選んだ2色が似た色で、色相環に当てはめた時、2色が近い距離にあれば**「同系色」**です。選んだ2色が対角線上にあり（時計でいえば、3時と9時の位置）、ひと回り回らないと追いつかない距離にあれば「補色」という事です。**「補色に**インパクトがあるのは、色相環で一番距離が離れている色同士をぶつけているからだ」という事も理屈でなくわかってきます。

そして補色で明度も同じ2色をぶつけてしまうと、インパクトが強いというメリットを超えてハレーションを起こしてしまい、大変な事になる事もそれぞれの距離感からイメージ出来るのではないでしょうか。逆を言えば、その特性を活かした**「補色ずらし」**というテクニックも使用する事があります。

「綺麗な色合わせですね」と2色合わせの配色を褒められた時に、後から自分で色相環に照らしてみると、その2色は補色を少しずらした配色だった、なんて事が多いです。傘のデザイナーとして働いていた時は意識的にこのテクニックを使っていました。

2色しか使えないというツートンカラーの傘の配色を任された時、**「補色に近いくら**

い反対色だけど完全な補色ではなく、少し対角線からずれている色合わせ」が程良く**インパクトがあり強い色合わせ**だと初めて気がついた事を覚えています。

これも一応は、**色相環というものだけは知っていて、ベースとして心の中にあったからこそ**でしょう。

「配色」について悩む方に、お伝えしたいのは**「色は関係性」という事**です。「1色だけで色を考える事をやめて、色相環の中で、2色なら2色の関係性、それぞれの色の**「距離感」「位置関係」を考えると段々と掴めてくるという事です。**その関係性を見るうえでも「色相環」は、直感的に使えるツールだと覚えてください。

基本、どんな教科書でもこの色相環を載せていない本はないはずで、それだけ重要な割には、その有効性に気がついている人は少ないのかもしれません。

「色相環」を意識すれば**「寒色」や「暖色」についても、頭だけの理解ではなく、直感的にわかってきます。**それぞれ色相環を二分するような位置に固まっているので、わかりやすいですよね。

今現在、「色相環」を意識しているか、「色相環」を心の中に描けているかを判断するのに丁度良いテストがあります。それは、例えば次のような質問に即答出来るかどうかでわかります。

質問

「赤色の補色は何ですか？」
「黄色の補色は何ですか？」
「青色の補色は何ですか？」

大袈裟に3つの質問にしてしまいましたが（笑）、これは、単純に**補色がわかるかどうかの質問**です。どうでしょう、即答出来ますか？

暗記しているわけでもなく、すらすらと答えが出てくる人は、少なくとも「色相環」を頭の中でイメージして色について考えられる人かもしれません。なぜなら「色相環」において、反対側にある色が補色という事まではわかるわけですから。その色が思い出せるという事はざっくりと「色相環」を思い描く事が出来るという事です。

しかし「いつも心に色相環を」という通り、いつでも「色相環」が頭の中で完全にビジュアル化出来ないとダメなのか、といえば、そうでもありません。

何かの資格を取るための試験ではないので、**色相環を再現出来るほどに、覚える必要もありません。使いこなせれば良いのです。**

スマホという便利なものもありますし、イメージ出来なければ、スマホで撮った「色相環」の写真を、いつでも見られるようにしておいてください。「色相環」とネットで画像検索して、**好みの「色相環」のビジュアルの画面をキャプチャして、保存すれば良い**でしょう。または色相環の画像が載っているページをブックマークしても構いません。

色彩に関するどの参考書でも「色相環を頭に思い描きながら配色を考えろ」など、具体的には教えていないかもしれません。しかし、色に対する認識を変えていく「理にかなった効果的な方法」だと自負しています。

「〇〇っぽい配色はこれ！」といった流行の本を一冊丸々「覚える」というのは無理ですし、再現力を手に入れられるのか？　という部分で、大きな疑問を感じます。

デザイナーの知識として大切なものか、否かは**「再現性が高い知識か？」、つまり、あなたが一人でその知識を使いこなせるのか？**　という物差しで測ると良いかもしれません。これは「色」だけに限った事ではありません。

レイアウトに悩む人へ「レイアウトだけ模写法」

絵を描く作業によって、レイアウト力は磨かれたりします。

そもそも絵を描く時に初めに悩むのは、何をどこに配置するかです。

よく「絵を描く力＝描写力・デッサン力」と思われる方も多いのですが、**決められた紙面サイズに画面要素を配置していくという点で、「絵を描く作業はむしろレイアウトを決める作業から始まる」**ともいえます。


70年以上の歴史がある美大の入試科目からデッサンが外されないのは、**絵を描く事（デッサン）が「レイアウト力」を鍛えるのにも十分にプラスになる、**と大学側が考えているからではないでしょうか。デッサンというものは**描写力を鍛えるためだけに試験科目にあるわけではない**と思います。

そもそも、絵を描く事はレイアウトだけでなくデザインの様々な面と通じるもので、今から絵画を学ばないにしても、**「グラフィックデザイン=絵」**であるという当然の感覚は持って色々なものを観察したほうが良いと思います。

この話をすると「デザインとアートの違いは云々」とか「デザインは問題解決だ」とか、別のお話を語り出す方もたまにいますが、そのあたりの話は、重々理解したうえで、完成度の高いビジュアルを作るという一点だけでも、**デザイナーが「絵」に学ぶ姿勢は忘れない**ほうが良いでしょう。

レイアウトはデザインそのもの

レイアウトはデザインそのものであって、**レイアウトさえ出来れば、デザインはほとんど完成したようなもの**だというデザイナーもいます。それほど、レイアウトはデザインにおいて重要なものですし、難しいものともいえます。

このため、何とかしてレイアウトスキルを伸ばしたい！　と考える方も多いように思います。

では、レイアウトスキルを伸ばすために何をすれば良いのでしょうか。
この質問にお答えする前に、まずレイアウトのカテゴリが大きく2つに分けられる事を理解していただかなければなりません。
簡単に説明させてください。

レイアウトには大きく分けて、この2種類があります。

グリッドデザイン
ノングリッドデザイン

グリッドデザインとは、方眼（グリッド）の規則性に委ねるデザインで、ノングリッドデザインとはネガとポジのバランスを大事にした絵のようなデザインといえます。

そう、ノングリッドデザインは、「絵」に似ていて、グリッドなどの定型やフォーマットをベースに出来ない分だけ自由度も高く、逆を言えば、難易度が高いように思えます。

あくまでも一般的な話ですが、ＷｅｂデザイナーはＤＴＰのデザイナーに比べて、ノングリッドなレイアウトに慣れていないように見えます。

というのも、スマホファーストな現代において、Ｗｅｂデザインでは、**レスポンシブデザインを考えざるを得ない状況**があるからです。

レスポンシブデザインとは、閲覧するユーザーのデバイス（スマホ・ＰＣ・タブレット）の画面サイズに合わせてページレイアウトを最適化するデザインの事を指します。

レスポンシブに対応するために、グリッドレイアウトの定型に合わせて作っておけば、例えばＰＣでは横に3つ並んでいた四角形のサムネイル画像（あるいは画面要素）を、スマホでは縦一列に並べられます。そうする事で、一つのデザインレイアウトから、複数のデバイスに最適化されたデザインへ早変わり出来るわけです。

これは規則性を持ったグリッドデザインにしか出来ない特性で、どうしてもサイト全体でノングリッドなデザインを採用したい場合は、**ＰＣとスマホ用に、デザインを**

別に作る事になり、手間がかかります。ですから、Ｗｅｂデザインを作る現場では、レスポンシブのデザイン、つまりグリッドデザインが採用される事が多くなるわけです。

まあ、そんな理由で、レスポンシブデザインと相性が良いグリッドデザインを作る機会が多い**Ｗｅｂデザイナーは、絵に近いノングリッドなレイアウトを作る機会が減っている、**というのが現状です。

Ｗｅｂデザイナーはノングリッドデザインが苦手？

ＤＴＰデザインの場合は、Ａ４ならＡ４サイズに画面要素を入れる事さえ出来れば、基本どんな風にレイアウトしても良いので、比較的自由なデザインが可能になります。

つまり、**絵に近いレイアウトの経験値が高くなり、ノングリッドデザインのレイアウトスキルが高くなりやすい**と予想されます。実際、街で見る広告物のＤＴＰデザインの９割はノングリッドデザインでしょう。レイアウトの感覚を鍛えたい場合、まず摑みたいのは、ノングリッドデザインかもしれません（もちろん、グリッドデザインも複雑になるとすごく難しいですし、両方の要素が混在するデザインもあります）。

そんなわけで、Ｗｅｂデザイナーであろうと**ノングリッドなデザインを作る力、絵**

を描く感覚でフォーマットに一切頼らず、自由に画面レイアウトが出来る力を手に入れたいところですね。

では、その力を手に入れるために、何をすれば良いでしょうか。絵を描いたり、デッサンをする事は、効果的ではありますが、レイアウトを学ぶためだけに、そこから学び直すのは、流石に時間がかかり過ぎます。かといって、お気に入りの画家の展覧会にたまに出かけて、見ているだけでレイアウトスキルが手に入るわけではありません。

美大予備校で日々行っているデッサンやポスター制作のようなデザインワークは、レイアウト力を鍛えている「筋トレ」みたいなもので、体験してもらえたら良いな、とも思いますが、**相当な時間が必要になります**ので、10代の方ならともかく、すでに社会人の方には、とても現実的におすすめ出来る方法とはいえません。

「自分はノングリッドなデザインの経験が浅い」とお考えの方は、**出来るだけ効率的に、ノングリッドなデザインを一定量以上経験し、鍛えていけば良い**と思います。一つのレイアウトを学ぶために一つのデザインを完成させる、では流石に時間が足りないので短時間でレイアウトのみ、数をこなす必要があります。

お待たせしました。効果的な「レイアウトスキルを磨く方法」をご紹介します。

5分だけのレイアウト模写法

このレイアウト上達法は、簡単に言ってしまえば、**レイアウトが素敵だと思うデザインを5分程度で、模写スケッチしていく、**という方法です。

これは前著で紹介させていただいた「7分だけのデザイン勉強法」と似ています。ただ、7分間を5分間と少し短い時間設定にしています。レイアウトのみに特化しているので、少し時間を減らしているのです。これは、模写スケッチをする時、色やフォントなどはあまり気にせず、**「レイアウト」のみ意識してスケッチをする**というものです。

具体的なやり方ですが、

① 参考になる、素敵なレイアウトだなと思えるデザインを見つける
② グリッド仕様のノートを用意する
③ 5分程度でレイアウトのみ描き写す

はい、素っ気ないようですが、これだけです。

5分というのは、3分だと細かい部分を端折って描いてしまいそうだし、10分だと無駄に描き込み始め、スケッチの完成度にこだわり過ぎてしまいそうだという事で設定した時間です。

「10分は欲しい」とか「4分で十分だ！」と感じれば、その時間で構いません。個人差があるので、ストップウォッチは必要ありません。

描きながら、あなたが描き写している**デザインが素敵なレイアウトだと思った理由や、作り手の意図を感じる時間**があれば十分です。

デザインをそのままスケッチするためには、**基のレイアウトをきちんと観察する事**が求められます。あんまり基のデザインからかけ離れていても、自分で思いついたアイデアスケッチと変わらなくなってしまいます。なので、最初のうちは練習したスケッチと基にしたデザインをいくつか用意して誰かに見せ、「ちゃんと基の絵をスケッチしたものに見えるか？」という点を見てもらうとよいかもしれません。

そんなに上手くなくても構いませんが、一応、基のデザインが再現されていないとレイアウトの練習にもなりませんから。一人でやるにせよ、自分でその部分は注意したいところです。

ただ、勘違いして欲しくないのは、**描写力を競っているわけでもないという事**。**「基のデザインで、あなたが素敵なレイアウトだなと思ったのはなぜか。作り手のどのような意図から、このレイアウトが導き出されたか」**にひたすら集中して、5分で基のデザインのレイアウトの工程を追体験するのです。自分ならどうレイアウトするのか、考えてみるのも良いでしょう。**模写だからと「考える事・感じる事」を忘れては、意味がない**わけです。

レイアウトを追体験しよう！

「5分間だけのレイアウト模写法」では、参考にしたデザインのレイアウトだけに気をつけて見ていきます。

例えば、基のデザインを描き写しながら「ああ、なるほど。シンメトリー（左右対称）な画面を一度作ってから、**あえてバランスを崩す事で、一番見せたい部分に目がいくようレイアウトしているな**」とか、**「関連する要素を近づける（近接）ことで、同じ種類の情報だと一目でわかるように配置しているな」**というように、模写スケッチすることで初めてレイアウトの基本原則について具体的に理解する事が出来たり、発見があるかもしれません。

デザインの基本原則が書かれた辞書のような参考書を横に置き、チラ見しながら、それらの原則が、実際に活かされているレイアウトを確認する事も効果的ですね。

基のデザインを見て、直感的に「良いレイアウトだな」としかわからない場合でも、**「スケッチに必要な時間」をかけて観察していく中**で、突然、作者のレイアウトに対する工夫が見えてくる事があります。逆に言えば**「それ」が起こることを狙っている練習方法**といえます。

また、レイアウトにおいて「レイアウトの4原則」以外にも、小さな基本法則も沢山あります。例えば「少しだけ、キャッチコピーを傾けてみた事で、画面に動きが出るな」とか「画面下のほうに要素を集めると安定感が増すな」とか、そういった決まり事を、意識しながら一つひとつ確認していくと良いでしょう。

レイアウトを描き写す作業は、「ただ見る」よりも当然、時間がかかりますので、**その過程で色々と気がつくはず**です。また**手を動かしながら観察すると、**ただ観察するよりも頭が回り、**体に残っていきます。**

しかし、逆に時間をかけ過ぎても効果は出ません。スケッチに30分も時間をかけてしまうと、一日一枚が精一杯となり、やる気もなくなってしまいますし、ポイントを掴みにくくなってしまうでしょう。描写に力を入れるわけでもないですから、そんなに時間をかける必要はありません。

5分集中し、その時間で参考デザインのレイアウトの良さを捉えられるように試みてください。

この練習方法の良いところは「どういう意図でこのレイアウトは構成されたか？」

にスケッチを通じて意識を集中できる点です。

デッサン力に自信がなく、正確に描き写す事にどうしても時間かかってしまうなら、トレーシングペーパーに写すのでも構いません（少し値段が高いのですが、方眼紙のトレーシングペーパーも世界堂といった大手の画材屋に売ってます）。

もちろん、写したいのはレイアウトのみなので、色もつけず、白黒のみで良いです。色についても、レイアウトに付随して「ここでコントラストをつけてタイトルを目立たせているな。あ、レイアウトでもコントラストで目立たせてる部分に視線がいくようにしてるな」と自然に感じ取れるなら良いですね。ただ、まずはレイアウトの部分に注目し、集中して見てください。**画面の中で、どうバランスを取り、どうバランスを崩して、見せたい部分に視線を誘導しているか？　レイアウトに特化して追体験するように描き写してみる**のです。

色よりもレイアウトなどの構成を考えるためのスケッチなので「白黒」のみで描いてもらえれば良いでしょう。そのほうが楽しくてやる気も出るなら、7分、10分と時間をかけてノートに残してみるのも良いかもしれません。

この練習法の良いところは、**カフェに立ち寄った時もペンとノートさえあれば気軽**

に出来るという手軽さと「レイアウトついていつも考えていられる・良いレイアウトを見ると放っておけない」というありがたい副産物を手に出来る点でしょう。

スマホでＳＮＳや動画を見ているより、この「レイアウトスケッチ」をスキマ時間を使って、一日に、３つか４つ描いてみましょう。

この練習法にキャッチコピーをつけるなら、「いつもカバンにＡ５のノートを！」ですね。

「デザイン史」という宝箱

次は、デザインの歴史を学ぶ意義についてお話します。

デザイン史を学ぶメリットは沢山あります。

現代でも見る事が出来る過去の素晴らしい作品やエポックメイキングは、時代を超えて残り、評価されてきたものばかりなので、おのずとレベルの高いものばかりになります。刺激的で、見ているだけで制作意欲も上がりますし、デザインのアイデアも浮かんだりします。

最近自分が作るものが似てきてしまい、マンネリを感じてる人は、色々な時代のデザインからヒントをもらって自分のデザインの幅を広げていく事だって出来るかもしれません。

そして、過去から学ぶ事や、現代と過去を比較する事は、未来を作り出す力につながります。デザイン史は、これからのデザインがどうなるかというトレンドを予想する目さえ養ってくれたりします。また、そんな大袈裟に考えず**「同世代のライバルに知られてないネタ帳が一つ増えた」**という事でも良いのかもしれません。

デザイン史は、デザインカリキュラムでは人気がないカテゴリの一つなのですが、是非、他の方が気づく前に、あなたがその宝箱を開けちゃってください。

過去の出来事であれ、あなたが知らなかったのであれば、それはあなたにとって新しくて未知なるものですから。

デザイン史はアイデアの宝庫

数年前、メールマガジンの読者から質問メールをもらいました。

質問を送ってくれたのは、専門学校で学ばれている学生さんです。

読者からの質問

うちの学校でも美大同様に「デザイン史」の授業があります。正直、この「デザイン史」の授業がつまらなくてたまりません。カリキュラムの時間がない中で、無理に詰め込まれたようなそんな気さえします。時間の無駄のように思えてならないんです。デザイン史って学ぶ意味があるんでしょうか？　過去の事なんか気にしないで新しいデザインをどんどん作っていけば良いのではないでしょうか。個人的には、時々過去のデザインでもすごい斬新なデザインなどを見かける事があって、興味がないわけではないのですが、歴史年表を出されるとやる気がなくなってしまうんです……。

一言で言えば、**「デザイン史の授業はつまらないし、なぜ歴史を勉強しないといけないのかわからない」**という非常に正直な質問だと思います。

確かに、デザイン史や美術史の授業は退屈になりがちです。生徒が興味を持つような授業にするのは、大学や講師の「腕の見せどころ」だと思うのですが、駆け足で年表だけ追いかけるような授業をしてしまう学校も多いようです。

中学校の「美術」ならまだしも、大学や専門学校でそれだとつらいですね。本当にそういう授業になってしまってるのであれば、学校側が「デザイン史の重要性」を、今一つ理解していないのかもしれません。

本来「デザイン史や美術史」は非常に面白く**「デザインのネタの宝庫」**でもあるので、特に、これからデザインを始める方は、少しでも興味を持ってもらいたいと思います。


デザインの仕事をしている・あるいはデザインに興味を持っているのに、デザイン史を学ばないのは、とてももったいない事だと思います。学校の課題が忙しいなら、**息抜きの時間にゲームをする代わりに、デザイン史を学ぶ**（デザイン史で遊ぶ！）そんなノリで構わないので、とりあえず手を出してみましょう。気分転換にもなって面白いですし、デザインの本当の魅力に気がつくかもしれません。

一つ、コツみたいなモノをお伝えしますと「昔、一大ブームになったデザイントレンドを、○○が現代風にアレンジした！」みたいな話題があったら注目してみてください。**現代を入り口に、無理なく、過去のデザインに触れる事が出来て、デザイン史**

に入りやすくなります。

例えば、グッチという一流ブランドが何十年か前のトレンドを現代風にアレンジしている企画を打ち出していたら、なぜ、今の時代にそのトレンドを取り上げたのか？などを考えたり、現代のグッチと過去のものを比べてみると、当時の時代性や、現代のトレンドも同時にわかってきたりします。

グラフィックデザインでも、例えばロシアン・アバンギャルドの強烈なデザインを、今のポスターグラフィックに活かしたモノがあれば、どういう風に**現代のトレンドに馴染むようアレンジしているか考える**のです。デザイン雑誌などでそういった特集をしてたら、その雑誌の表紙デザインでは、過去のトレンドをどうやって現代の人に見せているのか、その見せ方に注意してみるのも面白いでしょう。

もちろん、ロシアン・アバンギャルドについて、今まで知らなかったのなら、興味を持ち詳しく調べてみるのも面白いでしょう。

さて、読者の方からのご質問に話を戻します。

「デザイン史って、ホントにつまらなくて学ぶ必要のないものか？」という質問でした。ここまで読んでいただければわかるかと思いますが、「いえ、決してそんな事はあ

りません。**それどころかセンスだって磨けるし、新しいアイデアのネタだって増える**

し、良い事ずくめです！」とお答えしたいですね。

そのうえで、デザイン史の面白さをおおまかに3つのポイントに分けてご説明していきたいと思います。このポイントを押さえる事で、デザイン史をより深く知る事が出来ます。具体的にご説明していきます。

1．良いデザイン（創作）は時代を超える

良いデザインは軽々と時代を超えます。当たり前ですが「**新しいデザイン」がすべて最高というわけでもない**のです。そうでなければ、デザインの道を志す人間がわざわざ過去に学ぶ意味はまったくないわけですからね。

プロダクツデザインの例：i-Mac

例えば、プロダクツデザインで「Ｍａｃ」を考えてみましょう。

最新のＭａｃのデザインが一番格好良いでしょうか？　機能面はもちろん最新モデルに軍配が上がるでしょうが、デザインに限っていえばそんな事もないと思います。

それなら、遡って「歴代のどのi-Macが一番好きか？」なんて調べてみるのは、ワクワクしませんか？

１９９８年に発売され、斬新なフォルムが反響を呼んだ**「初代のi-Mac」**。**そのデザインの素晴らしさ**は、色褪せる事はありませんし、これから先もそうでしょう。あの突き抜けたデザインは、逆に今、スマホなどのデザインに活かせないものかな？　と、個人的には考えてしまいます。

それまでほとんど白かベージュしかなかったＰＣの世界を「ボンダイブルーのi-Mac」は、大きく変えました。**この時以降、ＰＣのデザインはどんどん自由になっていった**のです。

最近のＭａｃの一連のデザインは機能美を最優先として、少しずつマイナーチェンジを繰り返す事が前提のようにシンプルな筐体デザインになっています。どこが悪いというわけでもないでしょうが、**過去のデザインに比べて「挑戦」が足りない**気がして個人的にはあまり好きではありません。

初代のi-Macのデザインのような、やんちゃな感じが現在のＭａｃのデザインにも、もう少し取り入れられても良いのにとも思います。

初代i-Macのデザインをもう一度じっくりと見て、**「なぜあの時代にこのi-Macのデザインがあれほど衝撃を与えたのか」**を探っていくのも、新たなデザインの学びになります。

今のMacの機能美を追求したスタイリッシュさと、初代i-Macの少しクレイジーな魅力を持つ型破りなデザイン。時代を超えて、そんな対比を楽しむ事も出来ます。

ファッションデザインの例：コム・デ・ギャルソン

「コム・デ・ギャルソン」というファッションブランドは有名なので、多分、ほとんどの方はご存知でしょう。コム・デ・ギャルソンが80年代のパリコレで発表した、全身黒一色のデザインや、穴の開いたニットなどは、山本耀司（ヨウジヤマモト）とともに「黒の衝撃」と呼ばれ、パリコレに「西洋の衣服文化への冒瀆」か「新しいファッションの幕開け」か、と賛否両論を巻き起こしました。

パリコレが開催されている間、パリのカフェでは「核戦争後に生き残った服のようだ。本当にファッションと呼べるのか？」という議論が起こったという逸話もあります。それだけのインパクトを日本人のアーティストが、本場パリのファッション界に与えてしまったという事でしょう。

そういう事実を知ったうえで**「既成概念を壊す」**というインパクトは、どういった思考で可能になったのか？　また、**壊すという事は、もしかしたら新たなクリエイションの始まり**ではないか？　という事を考えるだけでも大きな学びだと思います。

皆さんがリアルタイムで当時のギャルソンのニュースを耳に入れていたら、刺激を受け、間接的にでも自分のデザイン活動に活かせたかもしれませんが、一昔、二昔前の話であったとしても、一つのデザインが出来るまでの経緯と、デザイン史の中に見え隠れする大小様々な「物語」は、クリエイターであるあなたを根こそぎ変えてしまうパワーを持っています。

今までのデザインの歴史の中に、あなたを高めてくれるお宝がぎっしり埋まっているようなものです。授業は退屈だったとしても、デザイン史自体を嫌いになってしまうのはあまりにももったいない事です。

ギャルソンの服とそこに秘められた、斬新さゆえにパリコレを騒がせた話や、ＭａｃのＰＣの概念をぶっ壊したデザイン、そしてもっと遡っての、バウハウスが作り上げたまったく新しい合理主義に満ちたデザイン……。様々な物語は見応えのあるモノばかりです。

あなたも**「自分のお気に入り」**をデザイン史の中から探してみてください。きっと何かが見つかるはずです。年表なんて見ないで構いません。誰から誰が影響を受けているといった事も、自然に覚えてしまいますから意識しなくても良いでしょう。

2. 良いデザイン（創作）は受け継がれる

いつの時代も、憧れによって、クリエイションの継承が始まります。これはデザインというものに限らず、映画であれ、小説であれ、漫画であれ、当てはまる事かもしれません。**過去の作品に感銘を受けた人間が、そのエッセンスを自分なりに昇華させて「もの作りの道」が続いていく**のです。

一体、何人のデザイナーがギャルソンの服を見て、その職業に一生をかけようと決めたのでしょう。一体、何人の建築家がル・コルビジェの建築を見て、そこから触発された新しい建築を世に出したのでしょうか。一体、何人のグラフィックデザイナーが、ロシアン・アバンギャルドのポスターに影響されて作品を作ったのでしょうか。

こうしたデザインの歴史における「クリエイションの伝承」に気がつき、自分の学びのヒントに出来るなら、デザイナーとしてプラスでしかありません。

こまごまとした年代の正確さとか、義務教育的で表面的な歴史の勉強は、どうでもいいので、まずは、デザイン史を俯瞰して、特に気になるデザイナーを探し、デザイン史のエポックメイキングな出来事にどんな風に関わってきたかを調べ、推理してみる事もワクワクする学びの一つです。

つまりは**「点」で捉えず、それぞれエポックメイキング（事象）同士を、線で結びつけて考えていく**のです。例えば、「無印良品」の商品の中に、明らかに「バウハウスから影響を受けている部分」を見つけちゃったりすると、俄然面白くなってきます。

まずは、デザインの歴史を学び、デザインの歴史に囲まれ、デザインの歴史で遊んでみましょう。**わからない事が出たら、ネットでどんどん調べれば良いだけ**です。いちいち図書館など行かなくても構いません。興味がある作家やデザイン運動をテーマにした展示会などがあれば、実際に行ってみて「まずは感じてみる」事が大事です。机の上、ネットの中だけで済まさずに、可能な限り、体験してみましょう。

体験すると、もうそれは机の上の「勉強」から解き放たれて、さらにリアルな情報としてあなたに影響を与えるでしょう。

3．時代に調整され、作り直されるデザイン

「技術的な面」と「時代性という面」、デザインに影響を及ぼすのは、この二つです。これは、1．とまったく反対の事をいうようですが、**良いデザインは時代に合わせるようにして調整され、作り直されています。**

デザイナー自身が過去のデザインから影響を受けたとしても、そのまま過去のかたちで再現される事はあり得ません。どこかしら**その時代に合うように調整され、作り直され、時代に合うアレンジをされるのです。**デザイナーによって、デザインが作られるのは当然ですが、あたかも、時代によってデザイン自体が作り直されるようです。

時代によって調整される部分は、デザインの**「技術的な部分」**と社会全体から醸成される**「時代性」**です。

「技術的な部分」とは、グラフィックデザインにおいては、Photoshopなど制作ソフ

トの進歩があります。バージョンが変更するごとに出来る事が増え、10年前では作れなかったビジュアル表現が、当然のように世に出たりする部分です。

もっと言えば、プロダクツデザインは、20年前には世の中にはなく**現代だからこそ使える新素材を使う事で、昔にはなかったレベルのデザインが実現出来る**のです。もちろんそれゆえの難しさも表れますが、物質化が出来るかどうか、という点でプロダクツデザインはテクノロジーの進化と無縁ではいられません。

グラフィックデザインは、プロダクツほど影響を受けないかもしれませんが、PCが、**発達した今だからこそ出来る「グラフィック効果」もあります**し、複数人で一つのデザインを共作出来る環境がオンライン上で実現されるなど、技術の進化の影響は間接的に受けていると思います。

グラフィックデザインには「タイポグラフィ」というデザイン手法が昔からありますが、タイポグラフィでも、60年代と90年代では、技術的に出来る事自体が相当変わっています。やはり60年代のモノでは、フォントにPCでエフェクトなどがかけられないため、**見せ方の工夫で魅力的なデザインにしたり、今見ると、かえって斬新に見えます。**

それに比べ、1990年代の、ネヴィル・ブロディに代表されるタイポグラファー達は、一文字一文字をAdobeのソフト（多分Photoshop）などで、回転させたり変化を加え、空間自体を歪ませるような新しいデザインとしてタイポグラフィを成立させています。

Photoshopに代表されるレイヤーという機能は、この頃のデザイナー達が、本格的に使い始めましたが、作り手達が面白がって色々と試しているうちに、様々な表現が出始め、新しいビジュアルを世に出していきました。

ネヴィル・ブロディのタイポデザインはそういった手法だけでなく、様々なクリエイティブな冒険をしています。非常に面白く色々と学びになるはずなので、ご存知でなかった方は、調べてみてください。かなり色々な人達に、影響を与えていますし、**知っておいたほうが良いデザイナーの一人**です。

「ああ、こういう風にまったく違うアプローチをしても良いのだ！」と感じてみるだけで、得るものはあるはずです。

どちらの時代においても、「デザイナーの思い・制作意識」はそれほど変わりはしないですし、それぞれ熱い魂を持ってデザインに臨んでいた事がわかります。でも、何となく「どちらが新しい時代のものか」はわかるはずです。その**「新しさの基」は何なのか？　「その時代らしさ」が何か？　について考えている人のほうが「新しいトレンドを感じるセンス」を手に入れやすくなってきます。**

時代に調整されるデザインの宿命

60年代のタイポグラフィと、80年代終盤から90年代にかけてのタイポグラフィの違いの一つには、「デジタル技術の有無」が挙げられます。本質的には双方とも、似たような考えで、フォントに向き合ってデザインをしているかもしれません。

「フォントって単なる文字でなくて、フォルムとしても分解して使えて、とてもクリエイティブなモノだよね」と、60年代のデザイナーも80年代のデザイナーも、フォントから受けたインスピレーションは近いような気がします。しかし、本人達も意識していないところで、**テクノロジーの影響でデザインが変わってしまう部分も確かにあるのです。**

60年代のデザイナー達が、90年代的なタイポグラフィのアイデアを思いついても、90年代の技術がなければ同じものは出来ないでしょう。つまりは、**「その時代に生きてい**

なければ表現出来ないデザイン」というものが、確かにあるという事です。

これを聞くと、「何だ、結局90年代のタイポに比べて、60年代のタイポって選択肢が限られちゃうから、不自由という事じゃない？」と言いたくもなるでしょう。

しかし、制限がある時代のデザインは、それを補うアイデアがあったりするので、現代のデザインからよりも、かえって多くのヒントを手に入れられるかもしれません。

テクノロジーの恩恵を十分に受けてない時代は、**出来る事が少ないがゆえに、アナログ的な工夫やアイデアによって素晴らしい表現を生んでいるデザインが沢山あります。**逆を言えば、そのアイデアの出し方は、今の時代を生きる僕達から見れば、容易に思いつけないくらい意表を突いていたりします。

それをただ「古い」と切り捨ててしまうのは、ただただもったいない事です。確かに、デザインは時代に調整される宿命にあります。しかし、それを逆手に取って、現代を生きる私達がまったく新しいデザインとして捉えてみる事だって出来ます。色々な年代別のデザインを、自分のアイデア出しのネタとしてヒントにしても良いわけです。**「デザイン史は宝箱であり、ネタ帳でもある」**というのはまさにこの部分です。

「デザイン史」は、僕が通っていた美大の授業でも、間違いなく一番活気のない授業でした（笑）。講師が駆け足ですべての時代を説明しようとしていた印象です。

デザイン史を学ぶコツは、あまり真面目に、何かの「勉強」のように学ばない事です。半分遊びか趣味のように、ネットで画像を中心に検索してヒットしたものを見ながら、感覚的なアプローチで学び始めるくらいが良いでしょう。そうすれば、案外すぐに「デザイン史」の深みにハマるはずです。

色々と書きましたが、歴史的な出来事を一覧出来るデザイン史の本などをガイドに、**感性のまま、面白そうなものを深掘りしていく事**から始めてみると良いかもしれません。

自分だけの鉱脈を掘り当てられたなら、デザイン史は、あなたのデザインの未来を切り開くヒントになるはずです。

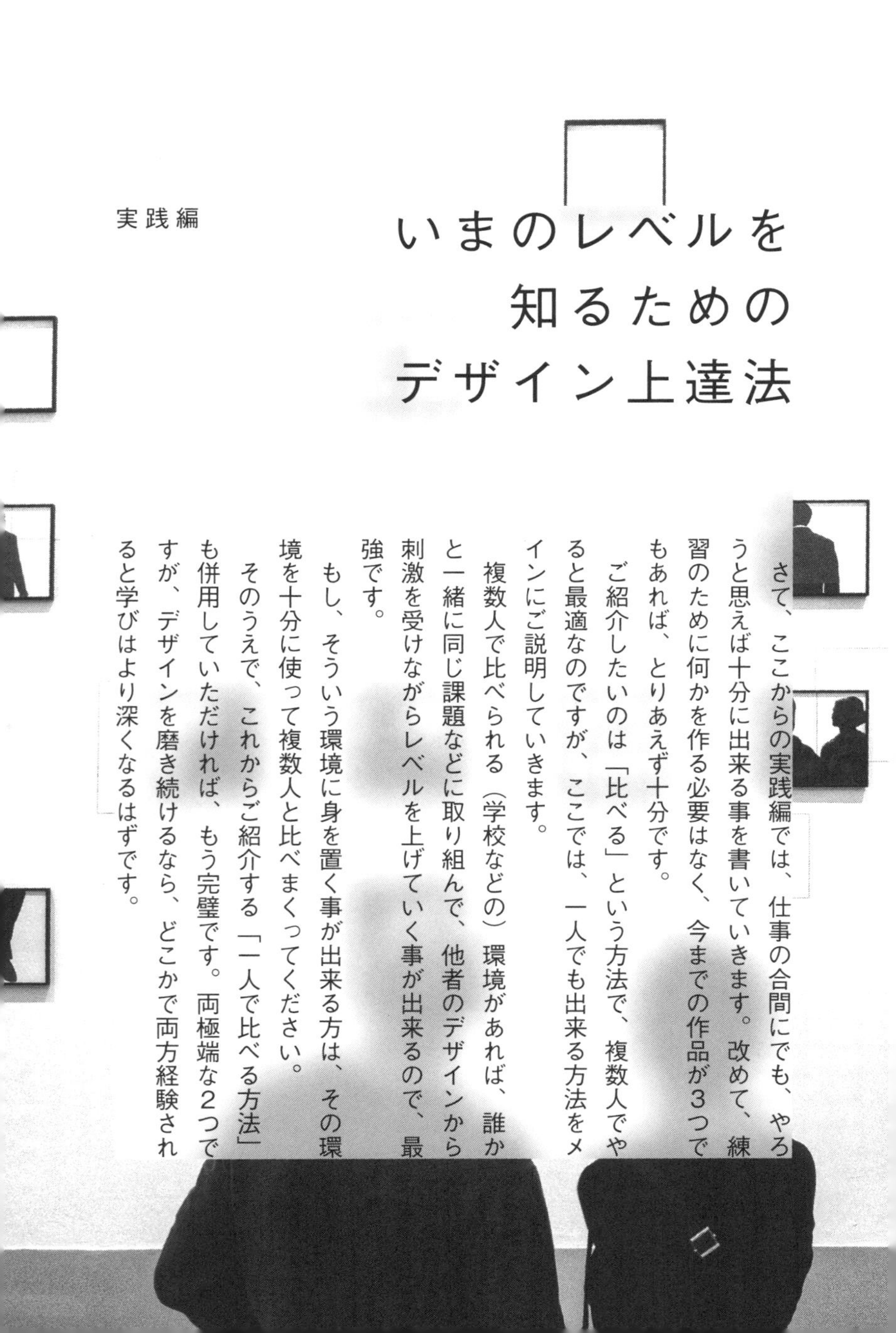

実践編

いまのレベルを知るためのデザイン上達法

さて、ここからの実践編では、仕事の合間にでも、やろうと思えば十分に出来る事を書いていきます。改めて、練習のために何かを作る必要はなく、今までの作品が3つでもあれば、とりあえず十分です。

ご紹介したいのは「比べる」という方法で、複数人でやると最適なのですが、ここでは、一人でも出来る方法をメインにご説明していきます。

複数人で比べられる（学校などの）環境があれば、誰かと一緒に同じ課題などに取り組んで、他者のデザインから刺激を受けながらレベルを上げていく事が出来るので、最強です。

もし、そういう環境に身を置く事が出来る方は、その環境を十分に使って複数人と比べまくってください。

そのうえで、これからご紹介する「一人で比べる方法」も併用していただければ、もう完璧です。両極端な2つですが、デザインを磨き続けるなら、どこかで両方経験されると学びはより深くなるはずです。

比べるという魔法

実践編として大切なお話をする前に、かなり昔の、僕が若い頃のお話をさせてもらいます。これは、**この章でお話しするデザイン上達法の原点ともなる経験**で、わかりやすい例としても読めると思いますので、しばらくお付き合いください。（どうしても「上達法」から知りたい方は76ページからどうぞ）。

美大予備校の講評

その昔（もう何十年も前）美大に入るために浪人した僕は、とある「美大予備校」に通っていました。高校を卒業してすぐですので、18歳の頃ですね。現在よりも若者人口が多く、美大入試の倍率は多摩美のグラフィックデザイン科で17〜18倍、東京藝大などは40倍もあった時代の事です。

当然、普通高校の美術部で絵を描いているだけでは合格出来ないので、美大予備校に通い、一からデザインの基本を学ぼうとしていました。「予備校」と名はついていても普通の予備校とはまったく別物で、一日中デッサンを描いたりポスターカラーで作品を作りまくっている立派な美術学校でした。

皆が集中して、無言で、一心不乱に絵を描く様子はある種、異様な光景でもありましたが、ここで学んだことは今でも僕を支えているようで、その一つはこの章のテーマ「比べる」ことの大切さにまつわる「ある光景」でした。

美大予備校に通い、個人的に一番カルチャーショックを受けたのは、作品完成後の講評時に、生徒全員の作品を上位から順に貼り出し、順位をつけていた事です。

ひとクラスには、大体20人〜30人の生徒がいて、毎回全員が作品を提出するわけでもなかったので、正味25人くらいの作品を2人の講師がすべてチェックし、上から評価順に並べて貼っていきます。

いってみれば**学生の作品レベルにどんどん1位から25位まで優劣をつけていく**わけです。生優しくも居心地の良い義務教育の雰囲気に慣れ切ってしまっていた僕は、講師らの「容赦のなさ」に戸惑いさえ感じていました。

「1位から25位まで並べるって最下位はお前だ！　と決めて晒すようなものじゃない？　いくら何でもそりゃないでしょ？」って感覚ですね。

でも、最下位とされた生徒も自分が最下位な理由がわかり妙にスッキリしているようで、全然落ち込んでるようにも見えませんし、「よし！　次だ」とやる気が漲る感じで、何回か講評を受けているうちに、すっかりその「**明快さ**」にはまってしまいました。

講師達は、一見厳しく冷徹なようですが、生徒達への忖度もなく誰かをひいきする必要もないので、**ニュートラルに順位を決めていきます**。講評は、必ず2人以上の講師が順位を決めるので、個人の好みは良い具合に排除され、順位について文句を言う生徒もまったくいませんでした。

デザインの世界は、正解がない世界でありながら、明快にレベルの差がわかるもので、講評を繰り返し見て、段々それなりに見る目も上がると、それぞれ**順位がつけられた理由**もわかるようになってきます。

講評に参加して**他者と自分の作った作品を比べる事で**「**本当の自分のレベル**」**が理解出来ました**し、常に「合格ラインという見えないレベルの境界線」を意識していなければならない事もよくわかりました。

美大予備校での「講評の時間」は、僕に多くの事を教えてくれたのです。

自分のレベルがわかる事の大切さ

「デザイン」は、数値化が不可能な世界、だからこそ、**自分がどのレベルにいるのか？** を常に確認するのは、とても重要です。自分を甘やかしていると、それだけ大きなブーメランとして返ってくる事でしょう。

美大予備校に行く理由や目的は、「自分が一体どのレベルにいるのか」を確認し、少しでも合格レベルまで届くために、足りないところを明快にして、一歩一歩自分をブラッシュアップしていく事です。

そもそも、試験まで1年しかないので、とにかく自分が**合格ラインに近いのか遠いのか、達しているのか否かを知る事**は入試を控えている人間からすれば、必須です。そこがあやふやであれば不合格になりかねません。合格ラインまでの距離感がハッキリしてくると「どれくらい上達すれば合格するか」とわかってくるので、それだけで不安な気持ちも和らいできて、合格する可能性も高くなるはずです。

いつか流行ったポップソングではないですが、「優しい嘘」のようなモヤモヤしたものは、人生を賭けるような一大事に一番役に立たないものです。自分が上達しているかどうかもわからぬままに1年が経ち、気がつけば美大入試に失敗してしまっていた、なんて事になれば、洒落にもなりません。

じゃあ、僕の順位はどうだったかといえば、最初の頃は、誇張でも何でもなく最下位から数えて3番目くらいをうろうろしていて、ただただ下手でした。

でも、美大予備校に入ったばかりの18歳の僕は、自分がクラスで最低の位置にいる事より、**「あと25人抜けば良い」**と合格までの道のりを明快に考える事が出来て、スッキリした気分でした。それからは、黙々と自分がすべき事をやり、階段を一段一段登っていけたと思います。

それくらい、僕にとっては**「自分が今いる位置（レベル）を知る事」**は大事でした。また、**「あの人のように描きたい」なんて憧れ、目指す存在がいる事も嬉しく**、全力で自分を表現出来る環境で戦えている事に「喜び」すら感じていました。生まれて初めて、ハッキリ自分の立ち位置や、目指すものが定まったような感覚です。その時の友人からは、「かなり下の位置に作品が貼られていたのに、お前はいつも笑っているように見えた」と今でも言われたりします。

多分、自分に足りない部分が明快に見えて**「そこさえ直せば、もっと上にいけるとわかり、一人でワクワクしていた**のでしょう。

また、クラス全員の作品を一堂に並べて改めて見る経験の中で、他人のデッサンの形の狂いまでわかるような気がして、**「デザインの違和感をきちんと把握出来るスキル」**は、この講評の時間に効果的に鍛えられたのだと思います。

一人きりで学んでいたならば、そもそも全員の作品と自分の作品を見比べる事など物理的に無理な方法でしたので、講評の場でクラスの仲間と比べ合えて本当によかったです。そして「比べる事」の大切さを感じられた事は、今でも僕を支えてくれていると確信しています。

SNS時代、「比べる」場の喪失

「美大予備校時の講評」のお話に、長々とお付き合いしていただいたのは、比べる事の大切さをわかっていただきたかったからです。そして、いわゆる、社会人になってからデザイナーを志すほとんどの方には（環境的に仕方ないのですが）、この「比べる場」「比べる経験」が、圧倒的に足りていないと思うんですね。

ご存知の通り、知りたい事を検索してみると、大抵は「答えに近い情報」が手に入りますし、ＳＮＳで顔も知らない方とも気軽につながる時代です。

しかし、美大予備校の講評を受けた時のような**「他人の作品と自分の作品を、問答無用で比べ合う」という場**は、かなりなくなってしまった気がします。

現在、デザイン初心者の方が同じような志の、同じようなレベルの方と比べ合う事が出来ているかといえば、正直、難しいと感じます。もちろん、コロナ禍という社会情勢が影響している事もあったのでしょうが、そもそもオンラインを前提に考えられている学びの場は、気軽で便利な反面、**強制的に他者と比べる場は作りにくい**ものです。

多人数参加のZoomやウェビナーなどもありますが、そこで色々工夫をしても、同時に30人の作品を壁に並べて比べる「講評のような経験」にまでは流石になり得ないでしょう。例えば事前に全員のデザインを配る……など、工夫しても、それぞれの作品を壁に貼るような体験は再現が難しいかと思います。

今後、モニターの品質が上がったり良い方法が見つかり可能になるとしても、同じ環境、同じ時間で仕上げたものをその場で一度に見比べて批評するという経験は、オフラインでしか手に入れられないと考えて良いでしょう。

デザイナーという仕事は、作業する時は一人きりですが、出来上がったものは他人の作品と比べられる職業です。

今、ＳＮＳで自分の作品をアップし、フォロワーである友人や知人から「いいね」をもらう事を何となく繰り返しているだけでは、多分**「自分がどのレベルにいるのか」**さえもわからないかと思います。プロの現場はＳＮＳほどに優しくはありませんから。比べた経験があまりないままプロになると、突然、仕事の現場で競合他社と比較されてしまい、ショックを受けて、最悪辞めていく方も出てしまうのでないかと思います。

未経験の方は、まずは何としても制作会社に入って、ここで書いてきたような**「人と比べる機会」を強制的に増やす**ほうが良いでしょう。もちろん、比べられる経験は楽しい事ばかりではありませんが、その過程で「全体の中で、自分の作品はどう見えているか？」を想像する力がつくはずです。

比べるのは**作品の質だけではなく、仕事の進め方**かもしれません。ヒアリングの仕方、プレゼンのやり方など、人の仕事を見て自身と比べる事で、得るものは無限大ともいえます（むしろ、直接的なデザインスキルよりもデザイン周辺で得るもののほうが多かったりします）。

デザイナーは比べられてなんぼのお仕事です。

必要以上に、あなたらしさを優先させる必要はありませんが、**競合作品に埋もれるようでは、プロの作り手として、満足に役目を果たした事になりません。**自分のデザインは他のデザインと比べてどう見えるのか、他より目立って見えるか、いつも意識するようにしましょう。

プロのデザインの世界で「オンリーワン」を言い張るだけでは、お客様は、絶対に納得しないはずです。それを考えると「どんなデザインがお客様に受けるのか？」だって、デザインにとってものすごく大切なものですし、「比べる事」でしか打開出来ない壁かもしれません。デザインとは、「対世間」に向けての成果物である事を忘れてはなりません。

美大予備校の講評時に、僕が見つけた**「比べられるという魔法」**は、デザインにとって必要不可欠なものであり、デザイナーであれば誰でも体験しておくべきだと思います。

学校は通ってなくても、ＳＮＳの恩恵で人とつながりやすくなっています。オンラインばかりに頼らず、「これは！」と思う人（きちんと真面目に作品を作ってる人達・お金が関わらない間柄）には会いに行き、複数人で作品を見せ合い、比べ合いましょう。

しっかりした学校であれば、**仲間と競い合うだけでなく、比べ合う場**を準備するなど、色々工夫していると思いますが、講師とマンツーマンの授業だったり、ビデオばかりの学校は、「自分は出来ているのかどうか？」という点で不安になると思います。

とはいえ、現実問題として、なかなか**比べ合う仲間達も見つけられないし、比べ合う環境が作りにくいという方のために、一人でも作品を比べて成長出来る勉強法**を、これからご紹介します。この本で、イチオシの「デザイン上達法」かもしれません。

比べて学べるレベルアップ法

今回、**「比べて学べるレベルアップ法」**という、効果的な上達法をご紹介したいと思います。

「うさんくさいな〜」と思った方もいるでしょうが（笑）、騙されたと思って最後までお付き合いください。ちなみに**「レベルアップ」というのは、他者から見て、明らかにあなたが一段レベルが上がった！　上手くなった！　と認められる感じで、**僕の中では、スキルアップの上をいくイメージです。

もともとは、メルマガの読者から「短期間で一気に上手くなる、レベルアップ出来る上達法はないでしょうか？」という超難しいご質問を戴いたのがきっかけです。

その時にご紹介したのが、**実際に自分が比較的短期間で（数ヶ月のイメージ）上達することができた「比べて学べるレベルアップ法」**です。

どういうものかといえば、まさに言葉通りの上達法で、巷にあるクオリティの高い作品群と、あなたの作品を勝手に比べて、**あなたの作品に「足りていないポイント（改善点）」を見つけ出し、最短で改善する**という上達法です。

これは、すべてのレベルの方に有効ですが、ある程度デザインを見てきた**「初心者の中の上級、もう少しで中級者！」**のレベルの方が実践すると、一番効果的だと思います。

一通りデザインをやってきて「作品全部丸々ダメ出しまでは、もらわなくなったけど、もっと上にいきたいし、ここでジャンプアップしたい！」なんて方には最適かもしれません。

具体的な手順、やり方をまとめるとこんな感じです。

① 「あなたが素敵だと思うクオリティの作品（他者の作品）」を選ぶ

② 「あなたの自信作・代表作（自分の作品）」を選ぶ

③ ①の作品群の中にあなたの作品を入れて両者を比べる

①と②の数（量）の割合ですが、①（他者の作品）8割以上、②（自分の作品）2割未満、というイメージです。

沢山のクオリティが高い作品群の中にパラパラとあなたの作品を数枚入れちゃう感じですかね。他者の作品と自分の作品の割合は多少上下しても構いませんが、量の多さが逆転するのは避けましょう。

他者の作品が自分の作品より多いことがルールです。

本質は、**他者と自分の作品を「比べる」というただ一点**です。

あなたが憧れるクオリティの作品と、あなたの作品を比べて、見た目にどれだけ差があるのか、その差をどう埋めるのかを自分なりに考え抜くという方法です。

もう少し詳しくご説明します。

①「あなたが素敵だと思うクオリティの作品（他者の作品）」を選ぶ

例えば、あなたがＷｅｂデザイナーであれば、あなたが良いと思う、クオリティが高いと心から思える「Ｗｅｂデザイン」を常日頃チェックしていると思います。その中から、**特に素敵だと思うもの**の画面をキャプチャして、ストックしてみましょう。基本、トップページだけで構いません。もし、そんなスクラップを、まだやってない方は、今から楽しんで探してみましょう。

ピンタレストを活用しても、何でも良いです。ボケボケの画像だと細かい部分がわからないので、最低限の解像度だけ確保しましょう。選び出す参考作品群は、とにかく、**あなたが憧れるようなレベルの高いデザイン作品**です。パッと見で構いません。クオリティが高い作品がどんなものかわからない方は、初めは自分が「素敵だな」とか**「敵わないな、こりゃ」と思ったデザインを基準**にして選ぶと見つけやすいでしょう。「いや、こんなレベルの作品と自分の作品を比べるなんて、おこがましいよ」とか、そんな事を考える必要はありません。逆を言えば、今の自分と比べるのはちょっとどうかと思うくらい、高レベルの作品で丁度良いくらいです。

この上達法では、あなたが**憧れるくらいにレベルの高いデザインを選べば選ぶほど、効果が上がります。**反対にそんなにレベルの差がない作品などを選ぶと、両者の明快な違いが見えにくく、上手くいきません。早く、数多く集めたいがために**作品のレベルを落とさないよう、気をつけましょう。**

ちなみに、あなたの専門がＷｅｂデザインであれば、比べるデザインもＷｅｂデザインとしたほうが良いでしょう。例えば、駅に置いてある、観光パンフレットのＤＴＰデザインと自分の作ったＷｅｂデザインを比べる事も可能でしょうが、ＤＴＰデザインとＷｅｂデザインの特性の違いに目がいってしまい、パッと見で作品を比べられなくなってしまいます。あなたの作品がＷｅｂのデザインであれば、お手本デザインもＷｅｂから探すようにしてください。

また、Ｗｅｂデザインの中で、どういうジャンルのデザインを選ぶかといえば、例えばあなたが最近、お仕事で車のメーカーのＷｅｂサイトのデザインばかり作っているからといって、参考作品群も「車のメーカーのＷｅｂサイト」にする必要はありません。

絶対避ける必要もないですが、ジャンルを絞って限定的に見ていくと、競合他社のリサーチ業務のようになってしまいます。確かに、今関わっているお仕事案件とリンクさせていくのも、それはそれで面白い試みです。ですが、**この上達法はある程度は（数ヶ月程度）時間がかかる**ので、すぐに目の前の仕事と絡めて結果を求めてしまうと、成果を急ぐ事になり、工程を無意識に端折ってしまう可能性があるのです。

意識してジャンルを選ぶとすれば、例えば、男性が好むデザインが不得意な女性デザイナー、女性的なデザインが苦手な男性デザイナーが、**あえて苦手なジャンルの参考デザインを選ぶ**、などは、効果も上がりそうで面白いかもしれません。

いずれにせよ「今すぐ」の結果は求めず、少し腰を据え、ある程度の時間をかけて、継続してやっていくようにしましょう。

基本的には、**あまり自分の好みのジャンルを限定せず、自由にランダムに、クオリティの高いデザインを探してみた方が良いということです。**

参考作品は、とりあえず10個程度でも良いですが、沢山あればあったほうが良いです。ただ繰り返しになりますが、沢山探すために、絶対にクオリティを下げない事ですね。僕の場合、憧れるレベルの作品を50個くらい用意するようになってから、少しずつ効果が出始めたように思います。

クオリティの高い作品を、一度に沢山集める事は大変なので、良いデザインを見つけた時にすかさずピックアップして積んでおくと良いかもしれません。

多分、①の**「憧れるレベルのプロの作品を日々ストックしておく」**という工程だけでも、気合いを入れてやっていれば、クオリティの高いデザインを選べるセンスが身につくようになり、レベルアップにつながるはずです。

目が肥えて、審美眼が備わるわけですね。

②「あなたの自信作・代表作（自分の作品）」を選ぶ

次に自分の作品で「これは自信があるぞ」というポートフォリオに載せたいような作品を、ピックアップしましょう。

特に誰かに選んでもらう必要もありません。自分で**「一番に人に見せるならコレ！」**という作品を選んでください。過去に誰かに褒められた作品を中心に選ぶのでも構いません。でも、最後は自分で決めましょう。とにかく自信作をピックアップしていければ良いです。

選ぶ数は（50個や100個も作品がある方はなかなかいないでしょうが）、少なくても構いません。全部合わせて3つしか作品がない方であれば、比べないと何も始まりませんので、3つともピックアップします（1つしかないなら1つでも構いません、始めましょう）。

③ ①の作品群の中にあなたの作品を入れて両者を比べる

ここで、作り出したい状況は、**クオリティの高い作品に囲まれたレベルの低い自分の作品という構図**です。

言い方がひどくてすいません、僕も散々やってきた手法なのでご勘弁ください(笑)。いきなりどM(?)になって欲しいわけではなく、比べる相手はレベルが高ければ高いほど、その差を埋めようという目が養われ、あなたのスキルアップの速度は早くなる、という事です。

僕もこの方法で初めて、①他者の作品の中に作品を並べた時は、**自分で自分の作品の力量不足やレベルに驚愕した**ものです。薄々気づいていたけど、並べると一目瞭然です。「俺の作品って本当にダメなんだ!」と突きつけられる感じで、ショックを通り越して面白くなったのを覚えています。それと同時に**「この差を埋めれば良いのだな、ようし!」**とニヤニヤもしました。

具体的に目の前に現れた「差」は、**ちゃんと理由をわかったうえで埋めさえすれば、自分がその分、上手くなるんだ!**とモチベーションを持って楽しんでやりましょう。実際、そうなりますから。

やっている作業自体はプリントしたり、貼ったりと結構手間がかかる方法でもあるので、面白がってやらないと続きませんしね。

アスリートの世界ではこの方法と似ている事をしているのかも？　と思ったのは、オリンピックで**メダルを狙う女子柔道の選手が、道場で圧倒的に体格が違う男子の有段者と次々試合形式で練習をするという方法**でしょうか。初めは負けているのに段々と互角に渡り合い、強くなっていきます。

もちろん、初めは男子柔道選手の力に押されますが、きちんと**その差を実感する事で**、その実力に対抗するように自分を高めていくのですね。それが、男子選手と互角に渡り合えるくらいの筋力や体力をとんでもない努力で獲得していく事かもしれませんし、あるいは別次元のスピードを自分の中に作り出す事かもしれません。強引にでも、高いレベルに自分を合わせてしまうやり方で、どこかで自分を順応させている気がします（アスリートの場合、男女の体力差もあり、完全に追いつくのは難しい事でしょう。しかし**デザインなら「憧れ」との差を埋められるはず**です）。

とにかく、まずは、**憧れるレベルの作品とあなたの作品の差を、誰かに説明できるまで明快に理解する事。**それさえ出来れば、**あなたは、他でインプットするもの、すべてからも「デザインのヒント」を見つける事が出来るかもしれません。**

そう、目標とするレベルと今の自分のレベルの差を埋めようとあなたの隠れた意識が動き出すので、真剣に取り組めば、日常的なインプットの質（クオリティ）にも良い影響を与えられるはずです。

まずは比べる事で、「ああ、自分のデザイナーとしてのレベルはこの程度か」と前向きに実感してみましょう。一度、大きくしゃがまなければ、飛躍的なジャンプも生まれないものです。

さて、ではもう一段階、具体的な工程をご説明します。大きく2通りのやり方がありますね。やりやすいほうで良いですが、基本は前者Aのほうが良いかと思います。

A　スクラップブックのようにノートに貼る
B　壁に貼る

まずは、「A スクラップブックのようにノートに貼る」ですが、こちらが比較的おすすめです。このスクラップブックは、自分と他者を「比べるための本」いう事で、勝

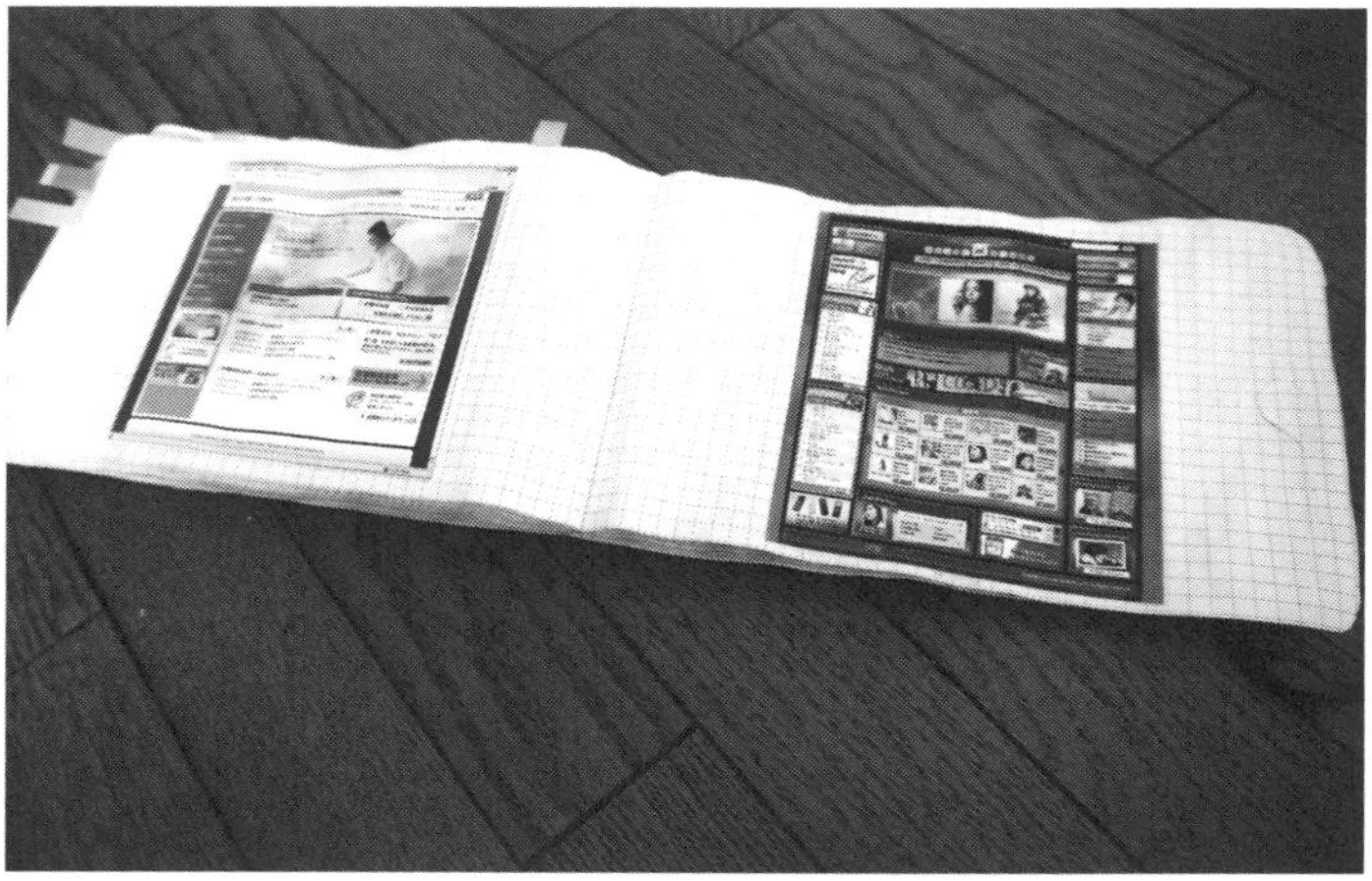

実際に僕が作ったくらべるぼんです

手に**「くらべるぼん（本）」**なんて呼んでいました。

　僕が実際に作っていた時は、**作品を少し小さめにキャプチャしたものを、プリントしてモレスキンノートに「剝がせるのり」で貼っていきました。**「貼っても剝がせるのりやテープ」を使うと、後でまた組み替える事が出来ますので、便利だし、気軽に取りかかれます。

　モレスキンノートは値段が結構高いですが、なかなかに頑丈なのでどんなに貼っても壊れる事はほとんどなく、おすすめです。

　例えば6枚、他者の作品を貼った後に、自分の作品を1枚貼ります。

A　くらべるぼん

・割合はあくまでも目安（自分の作品VS他者のレベルの高い作品）
・他者の作品集の中に自分の作品を紛れ込ませる感じ
・スクラップブックは縦長でもよし

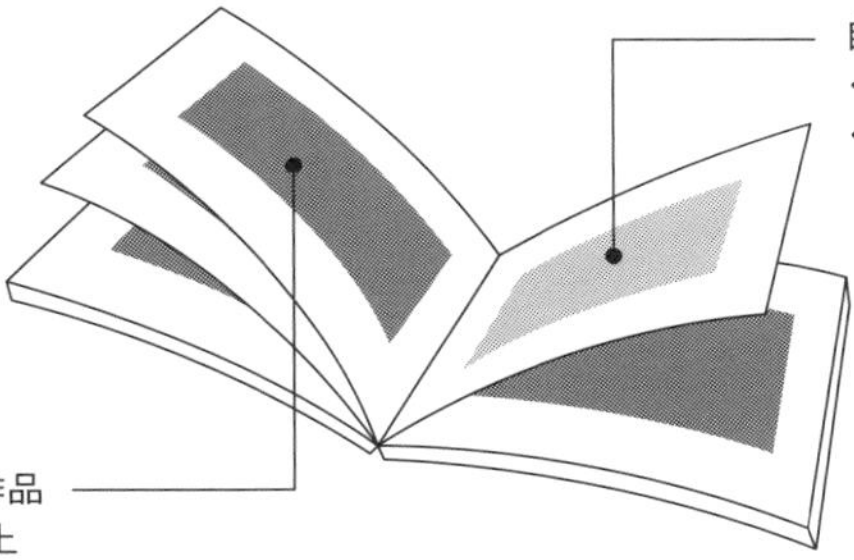

次に、また6枚他者の作品を貼って、自分の作品も1枚貼ります。他者の作品6枚、というのも大体の感覚です。ご自分で見やすい枚数で構いません。

ある程度めくると自分の作品が出てくるくらいの間隔で、ちゃんと他者の作品と自分の作品を比べられれば、大体の数で良いです。

つまり、他者のデザイン作品の中に、あなたの作品も勝手に紛れさせる感じですね。そう、まるで何かの賞をとったレベルの高いプロのデザイナーの作品集に、こっそりあなたの作品も紛れさせ、本にしてしまったような感じです（笑）。

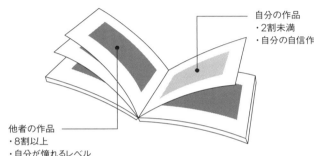

こうして一冊の本として、パラパラと順番に見ていって、まずはあなたの作品を目にした時、**明らかなレベルダウンを感じるか、一冊の作品集として違和感なく見れるか**、一人のユーザーとして初めて見たかのように、感じてみましょう。

「結構、自分のデザインもいい線いっているな」と思うか、「うわーっ！　恥ずかしい。俺の作品だけひどいよ、並べないで！」となるか……。

いずれにせよ、あなたが素敵と心から仰ぎ見るような作品群の中に置く事で、「恥ずかしい」と感じた後に、何がそんなに足りなくて自分のレベルが下に見えるんだろう？と、足りないところを見つめる事が大切です。落ち込んでいる暇などありません。「恥ずかしい」の理由を探りましょう。そこにあなたの、上達のヒントがあります。

「**B　壁に貼る」は、もう完全に美大予備校の講評を、一人で、再現している感じ**ですね。壁に貼りだすと、見やすいし比べやすいでしょう。

壁に貼る方法のデメリットは、一回一回残す事が出来ないので、後で見返せないのと、Aのように一冊のスクラップブックとして完成させるよりも達成感がありません。

B　壁に貼る

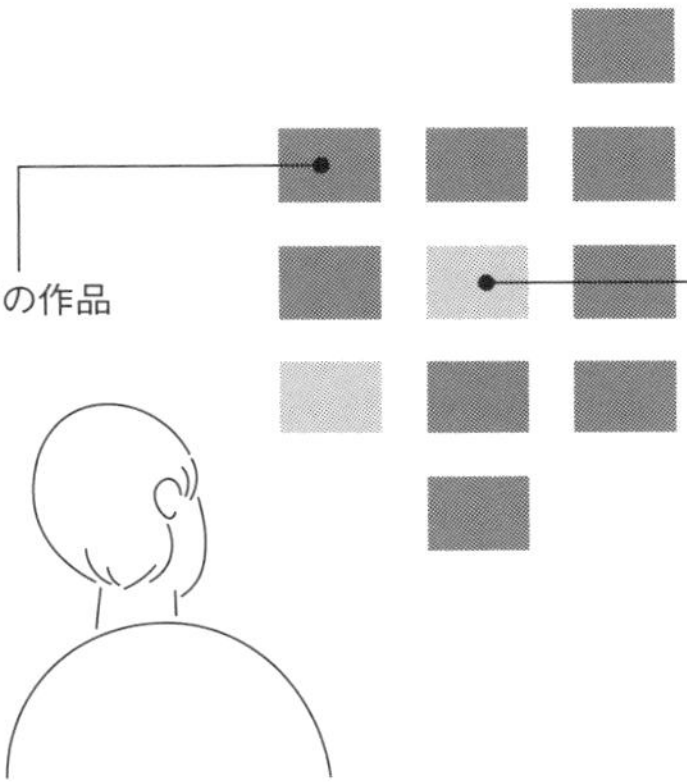

また、見返す時にいちいち壁の前に来なければなりませんし、そもそも十分に貼れるだけの壁のスペースも必要となります。

なので、スクラップブックに貼りながら、特に気になるものは、コルクボードや壁に貼って同時に比べてみると有効かもしれません（ここでも剝がせるのりを使うと良いかと思います）。

壁に貼った作品群をスマホで写真に撮るのも良いかもしれません。いつでも見返す事が出来れば、それだけ気づきも多くなるでしょうから、最終的には一冊のノートや、スマホ内の画像フォルダにまとめて、それなりの量にして、見返すのも良い方法です。

僕はシンプルに「くらべるぼん（本）」にしましたが、比べて見返す事さえ出来ればどういうかたちであれ良いと思います。自由にやりやすいようにやってみてください。

「比べる」事で自分を公平に評価する

さて、具体的な手順についてお話ししてきましたが、この方法の一番重要なポイントについてご説明します。

それらのクオリティが高い作品群と、あなた自身の作品を並べて、**「どんなところが足りていないか？」「改善点は何か？」**を誰かに指摘してもらうのではなく、**自分で気がつく事**です。

学校における講評であれば、講師や教授が、あなたの作品や他の生徒の作品について、丁寧に直すべき点を指摘してくれるでしょう。でも、この「比べて学べるレベルアップ法」（くらべるぼん）では、あなたしかいないので**「自分の足りない部分に、自分で気づく」事**が求められるし、それがなければ上達はないものだと思ってください。

この項目の冒頭で紹介した美大予備校の講評も、壁にそれぞれの作品を並べた時点で、実力が上がってきた生徒達は「自分の作品に何が欠けているか？」という事には結構気がつくもので、この時すでに生徒達は上達し始めているわけです。

一人で気づきを得る事こそが上達への一番の近道です。

こういった種類の理解力というのは、**論理的にどうこうよりも「感性」の勝負**となります。

この比べて学ぶ方法では、コンセプトの立て方や課題の捉え方や考え方までは、直接的に比べにくいかもしれません。なぜならこの一人で行う「くらべるぼん（本）」の上達法は、それぞれ**まったく別のところから、ほとんど無作為に選んできた作品を勝手に並べている**ので、「意匠」、つまり見た目しか比べる事は出来ないためです。

予備校などでの講評の時は、基本的に同じ課題作品を並べるので、コンセプトの立て方まで他者作品と比べられたわけですが、くらべるぼん（本）ではその部分は意識から外してみてください。

デザインの基本原則などを、細かく気にするというより、**まず「見た目」を見比べてみる事に集中**します。プロのデザインと素人のデザインを見分けるような、普通の視点を心がけましょう。

そんな風に書くと「そんな事出来る？　デザインを意匠の差だけで判断したりはし

ないのでわからないな」と思われるかもしれませんが、そんな事はないでしょう。結構、人はパッと見でのクオリティチェックが出来るし、日常生活でもそういう場面は多々あるはずです。

例えば、駅で明らかに鉄道会社のスタッフが作った（と思われる）「駆け込み乗車禁止」みたいな注意喚起のポスターを見る事がありますが、プロが作る「大手のブランドなどを扱った広告ポスター」と見比べると**一目瞭然で、どちらがプロの作品かという事が誰にでもわかる**と思います。

パッと見てわかってしまうようなレベル差は、駅のスタッフさんとプロのデザイナーの間にはあって当然かと思います。あなたとあなたが憧れる作品の間にある差は、それほどには大きくないでしょうが、それでもそのレベル差はわかるはずです。

あなたが、自分の作品を憧れの作品の隣に並べて「恥ずかしい」と思うのは、その差に気がついているからでしょう。

「パッと見た感じ」の見た目のデザインって軽く見られがちです。でも本当は、グラフィックデザインは**「見た目」にコンセプトもすべて凝縮されていなければなりませ**

ん。「見た目だけではない、格好良いだけではないデザインを作ろう!」などと言うと、正しいように聞こえますが、そんな事はありません。逆を言えば、**見ただけで「考え抜いたコンセプト」も伝わらなければならないのが、プロのデザインのはずです。**

エンドユーザーに届ける時、デザイナーがデザインビジュアルの横に立って、「このデザインのコンセプトは……」なんてプレゼンが出来るわけもないですからね。

誤解を恐れずにハッキリ言えば、**パッと見でダメなデザインは、やっぱりダメなデザイン**だといえます。

コンセプトメイクが上手く出来ていないなら、見た目から伝わりますし、本来そのように作られているのがプロのデザインです。ですから「パッと見た感じ」をバカにしてはなりません。

見た目を判断基準にする事は、ある意味では、まったく正しいわけです。

見た目のクオリティを上げる

この上達法を考えついたきっかけは、実際のお客様の反応からでした。フリーランスでお仕事を受けていた頃、あるお客様に出来上がったデザインを、初めてお見せした時、何となく、その反応が鈍いように感じた事がありました。本当のところはわかりませんが、少なくとも「想像以上に素晴らしいものを見た。すごいな！」という感じではなかったのです。

例えば、想像した以上のお料理やデザートが出てきた時って、言葉にするかは別としても「おお！」って驚きが顔に出てしまうものですよね。

デザインも本当にお客様が満足されたり、想像を超えた時って3秒とかからず表情は変わるものです。

少なくとも今の自分はそういった反応をお客様にさせるほどのレベルに達していないので、「そのレベルになれるために何をすれば良いのだろう？」と考え抜きました。その結果、自分の作品を憧れの作品と比べ、その差を埋めてみる事が出来ないか？　と思いついたのです。美大予備校で経験した「講評」を一人で出来ないか？　と考えたわけですね。

「論理的思考」を大切にする人は、この方法について、初めは戸惑うかもしれません。どちらかというと「感性」に導かれるようにデザインする人は、すんなり受け入れられる気がします。

パッと見て**瞬間的に「コレいいぞ」と感じられる感性がこの方法には不可欠です。そ**

してその「感性」はデザイナーに必要なモノですし、言い方を変えるなら、**まさにそれこそ「『センスが良い』という感覚を持っているか?」という事**です。

この方法では意識して自分の意匠のクオリティレベルが、あなたの憧れるような格好良いデザインの力を借りてどのレベルにあるか？　を確かめます。

これはあくまで「さわり」というか始め方であり、勝負はこの後です。

差が見えるようであれば、最終的には作り直して作品レベルを上げなければなりません。しかし、その前にまずするべき事は、何度も何度も見比べて**「一体何でこんなにクオリティの差が出てしまうんだ?」とその原因を突き止める事です。**

もしかしたら、そもそも主役に目がいくようになっていないレイアウトのせいかもしれないですし、詰めが甘くて画面に奥行きが出ていないかもしれません。使っているフォントが全部的外れの可能性もあります。

まずは、その原因を考え抜く事が出発点です。

くらべるぼんを見ながら作る

ここまでの過程を繰り返すだけでも変わっていくとは思いますが、最後に、実際の制作にくらべるぼんを活かす方法をご説明します。

例えば、実際の仕事でデザインを作る時、くらべるぼんを傍らに置き、今仕事で作っている作品とくらべるぼんの中の、あなたが憧れるレベルの他者作品とを、時々比べながら作って欲しいのです。

つまり、くらべるぼんでやった、**自作デザインと自分が憧れる高いレベルの作品群を比べるという行為を、これからあなたが作るデザインに、そのまま活かしてしまう**わけです。

実際の案件制作において、あなたが目指すクオリティを、**あなたがくらべるぼんに貼った、高いレベルの他者作品にまで引き上げながら作る**という感じでしょうか。

今まで「なんとなく」設定していた目標レベルを具体的に目の前に置き、そのレベルまで自分を引き上げる感じです。

これから自分が作るデザインをすべて、**「やっぱり流石に、プロは全然違うんだね」**と思ってくれるレベルのクオリティまで上げて、いつもそのレベルで仕事が出来るような「クオリティのものさし」を、自分の中にきちんと作り上げるのです。

それを実現するためには「このレベルまで到達させよう！」とひたすら自身に言い

聞かせながら、作っていくしかありません。

四六時中、くらべるぼんと自分の作るデザインを見比べているのは難しいですし、逆に、はじめから他者作品を見つめているとそのデザインに引っ張られ、今作っているデザインのコンセプトなど、見失ってしまいそうなので、あなたが作るデザインが7~8割ほど形になってきたら、そのデザインと憧れるレベルの（他者）デザインとを「くらべるぼん」でやったように比べ、**「負けていないか？」「差はないか？」**と厳しく見比べるようにしてください。

「足りないな……」と思うなら、**「何が足りないか？」**と考え、実際に自分のデザインをその通りに直して良くなるかを試します。ダメなら何度でもやり直します。

ここまでやって**「比べて学べるレベルアップ法（くらべるぼん）」は、完成**となります。

大事なのは、くらべるぼんを使って明らかにした「あなたが目指したいデザインレベル」に、自分のデザインのクオリティが届いているのかの確認を、いついかなる時でも出来るよう、心がける事です。

例えば、それは、街で素敵なデザインを見た時にも、**無意識に「そのデザインと自**

分のデザインクオリティを比べ始めるくらいになれば、しめたモノです。

何だかもう職業病のようですが、それくらいにいつでも、少しでも自分のレベルを上げようと意識していれば、上達スピードも早くなり、いつの間にか、あなたのデザイナーとしてのレベルアップは実現されていくはずです。

一人ぼっちのデザイナーのスキルアップ法

「職場に自分一人しかデザイナーがいません。こんな環境下にいる自分のために、効果的なデザイン上達法を教えてもらえないでしょうか？」

思い切り要約させてもらうと、こんなご相談をかなりの頻度で戴いています。

大抵は、就職して1〜2年の新人デザイナーさんからのご相談です。初めてこういう内容のご相談を戴いた時、デザイン制作会社って、何人かのデザイナーが机を並べているイメージしかなかったので、「デザイナーがたった一人の環境って珍しいケースだろう」と思いました。

しかし、それ以降、同じような話をツイッター（現X）のDMからの質問やSNS

で、何人かの新人さんや若手デザイナーから聞くようになり、**決して珍しいケースではない**のだろうと感じ始めました。

僕などは自分がデザイナーという事もあって、どうしても「デザイナーにとって理想的な職場」をイメージしてしまいがちです。

デザイナーが複数人いて、自然に切磋琢磨出来る環境のほうが、デザイナーにとっては良いはずだから、そういった会社ばかりだろうと勝手に想像しているわけです。

でも、経営者目線では、デザイナーに限らず、社員は少ないほうが良いですし、例えば自社サービスのポスターなどを作るのであれば（規模にもよりますが）、一人のデザイナーがこなしてくれたほうがおトクだと考えるのが普通かもしれません。

つまり、僕に相談してくれた新人デザイナーさんのように**「職場にデザイナーが、ほぼ一人状態」**で先輩からのアドバイスももらえず、どうやって自分のデザインスキルを上げていけば良いか？　途方に暮れている方は、実は結構いらっしゃるのだと思います。

そういう方のために、**一人ぼっちのデザイナーでもスキルを伸ばしていける方法を3つ**にまとめ、ご説明していきます。

多分、全般的なものとしてどんなキャリアの方にも使えるかと思いますので、一つの普遍的な上達法として読んでもらえたらと思います。

1．自分のデザインにダメ出しする

ダメ出しとは別の言葉で言えば、自分のデザインを客観視出来るか否か、という事ですね。

自分のデザインにダメ出しする時、一度「自分がデザインしたという事実」を忘れて見るようにすると、ダメなポイントを見つけやすいかもしれません。

簡単に書いてしまいましたが、コレがなかなか難しいですし、非常に重要なポイントでもあります。周りに先輩デザイナーがいないからこそ、クオリティの高いデザインを自分が作れているか、**ジャッジ出来る感性と謙虚さ**を持ちたいものです。

「ダメ出し」というと、ネガティブに聞こえるかもしれませんが、「ダメを出せる」という事は、逆を言えば**「どこを直したら良くなるのか？」がわかっているという事**

ですので、自分のデザインを一人でブラッシュアップするために、どうしても必要なスキルともいえます。

自分で気づく時であろうと、人からであろうと、ダメ出しには、前向きな姿勢で向き合う事です（修正点を見つけるたびに「また上手くなるチャンスが手に入った」と言葉に出してみても良いくらいです。特に一人きりの時には心持ちを前向きにしたいものです）。

では、どうすればそういう「**ブラッシュアップポイント**」を見つけられるのでしょうか？

先輩デザイナーや経験者の方に、デザインを見せた事がある方は、「なんで、こんなにすぐに、しかも的確に自分のデザインの欠点や修正点を見つける事が出来るのか」と不思議に思った事はないでしょうか。

単純に「**（クオリティの高いデザインを）インプットしている量があなたより絶対的に多い**」という事かもしれません。あなたより沢山良いものを見て目が肥えているので、理想的なデザインと目の前のあなたのデザインを（無意識にでも）比べる事が出来るわけです。

あなたも、先輩のように、自分で自分のデザインのブラッシュアップポイントを、見つけたいのなら、頭の引き出しの中に「良いデザイン」のサンプルが沢山ある状態にしましょう。「作ること」は「見ること」から始まります。

簡単にいえば、**良いデザインやクリエイションに敏感になる**ようにするわけです。まずは、浴びるようにクオリティの高いデザインを見る事です。そして**「なぜそのデザインのクオリティが高いのか・評価を得ているのか」**理解するように努めましょう。その理由を考えていくだけでも、全然違ってくるはずです。

もう一つ、「失敗の勘どころに敏感になる」事も大切です。「失敗の勘どころ」という言い方は、少し変な言い方かもしれませんが、言い換えると**自分のデザインが持つ「違和感」について敏感になる**という事です。

「インパクトに欠け、伝えたい部分が全然目立たないデザインになっている」とか**「自分の立てたコンセプトからいつのまにかずれてしまっている」「使っている色味が案件の内容とまったく合っていない」**といった違和感に早めに気づくようになりましょう。

美大入試のデッサンの課題は、調子良く描いていけるスキルはもちろんですが**「形が狂いだしたら、自分で気がついて、修正するスキル」**を求められているといえます。そして、これは、当然「デッサンの形の狂い」だけではなくて、デザインにもそのまま当てはまります。

なので、この**「失敗の勘どころに敏感になる」**事は、プロのデザイナーとして仕事を続けていくために、必要不可欠なスキルといえます。

この力は、自分が間違えやすい癖をしっかりと覚えている、とか、自分の弱点（例えばいつもグリッドレイアウトにまとめてしまう……など）をきちんとわかっていて見返すためのチェックポイントとして記憶しておくとか、場数を踏んだうえでの地道な努力でつけていくしかないですし、それさえ守っていれば必ず手に入る力だと思います。

経験者のように、**自分のデザインのブラッシュアップするポイントや修正点を自分で見つけ**、「自分にダメ出しを出来る状態」になりたいものです。そうでないと「自分一人で成長していく事が出来ず、いつまでたっても、指摘やダメ出しをしてくれる他者を必要とする事になりかねません。

2. 自分のデザインのクオリティを高いレベルに合わせる

まずは「自分のデザインにダメを出せるようになる」事を頭に入れ、自分のデザインを厳しく見ていきたいところです。

ただ、**直すべき部分がいくつか絡み合っていて、なかなか「ここだ」という修正点をピンポイントで見つけ出すのは難しいケース**もあります。そんな時も「比べる」という方法が一番有効です。

「クオリティが高い」と思えるデザインとあなたのデザインを並べて「何が違うか？」探ってみる事が、絡み合ってる糸を解くヒントになる事があります。この場合のコツは、似たジャンルのデザイン同士を比べる事です。

あなたがコーポレイトサイト（企業のホームページ）をデザインしていたら、クオリティが高いコーポレイトサイトのデザインと比べ、ECサイト（ネットショップ）のデザインなら、クオリティ高めのECサイトのデザインと比べる、というようにジャンルを合わせて見比べるようにしてください。

クオリティが高いデザインとあなたのデザインを並べ「足りないところ」や「違っ

ているところ」を、探してみてください。自分のデザインだけをじーっと見ているだけでは気がつかなかった欠点がさっと見えてきたりします。

もし、2つのデザインを比べるだけでは、まだよくわからなければ、複数のクオリティが高いデザインを用意して、その中に自分のデザインを1つだけ置いてみます。そこから、**自分のデザインのクオリティが低く見える部分を見つけ**、その理由を具体的に考えてみてください。

先に上げた**「比べて学べるレベルアップ法（くらべるぼん）」を実際の仕事でやってみる感じです。**

初めは上手くいかなくても、段々コツがわかってくるはずです。そうすると、自分のデザインに欠けている点が、一瞬で見えてくるようになりますし、何度も比べてみていくうちに、不思議と比べなくても、足りない点が見つかるようになっていくものです。

見つけた欠点を直し、クオリティが高い作品のレベルまで、自分のデザインを高めることが出来たなら、結果あなたのデザインのクオリティは上がります。

3. ビフォー・アフターを比べながらデザインを修正する

これはどういう事かというと、自分のデザインデータを時系列順に段階的に残していくという事です。こうして残しておく事で、後々時系列的に比べる事が出来るので、どこを直したから良くなったのか、ピンポイントでわかるというわけです。

僕の場合は、大体、一つのデザインを完成させるために、7〜10個程度の、PSDを残していますが、これを続けて見ていくと、自分が、どこで自分の失敗に気づき、直す事でクオリティが高くなったかなど、他人のデザインを見ているように、俯瞰して見る事が出来ます。

最終形しかデータで残っていないとなると、**迷いながら、考えながら修正していったプロセスが残らず、非常にもったいない**と思います。周りに助けてくれる人がいようがいまいが「デザインする」事は孤独な戦いで、自分の精度を上げていくのは自分にしか出来ない事です。一度失敗した事を何度も繰り返すようでは、時間がいくらあっても足りないですし、周りからの評価も高まりません。

失敗は、**その失敗の理由を理解し解決した時点で、初めて「成長した証」に変わります。**逆を言えば、ステップアップの「種」みたいなモノなので、意識して、花を咲かせるように、働きかけてあげましょう。

理想を言えば、「ビフォーの作品」「アフターの作品」をプリントアウトしてお気に入りのノートに貼り、**どこを直してどこが良くなったか、または、よくやってしまう自分の失敗や自覚している悪い癖をどんどん書き込んでみる**と良いでしょう（これによって自分の間違う箇所に敏感になるので自分のデザインにダメ出しする力も同時についてきます）。

それは、世界にたった一つの、あなたを助ける指南書・参考書になるはずでしょう。目的はずばり**「同じ間違いを繰り返さない」事と自分のデザインプロセスを他人のデザインのように俯瞰して見る**ためです。

こういった**「過去作品から学ぶ姿勢」**が抜けているために、何度も同じ間違いを繰り返し、自分のデザインプロセスの問題点に気がつかず、伸び悩む人は結構います。とてももったいない事ですし、少し気をつけるだけで周りからも「あの人は同じ間違いを繰り返さない人だ」と好印象を持たれます。積み重ねると「評価」につながるものです。

「間違い」や「失敗」は、成長の「種」です。

「同じ間違いを繰り返さない事・上手く出来たなら繰り返し出来るようにする事」、この2点をちゃんと押さえていれば、デザイナーに残された道は、スキルアップしかありません。そりゃそうですよね、同じ間違いはしないですし、成功している自分の良いところは、何度でも新しいデザイン上で、活かす事が出来るわけですから。

逆を言えば、それだけこの2つを変わらずに実行し続ける事が難しい、という事でもあります。

出来ない理由としては、やはり、**成功も失敗も、きちんと自分で振り返りが出来ていないから**だと思います。特に、周りに同僚や先輩がいない環境では、指摘してくれる方がいないので、**自分一人で、意識して「振り返る」事が必要不可欠**となります。

僕自身、今でも、この2つ（同じ間違いを繰り返さない・上手く出来た事を繰り返す）をいつも振り返り、確認しながら進みたいと考えています。

面倒くさがらずに、自分のデザインを復習するように心がけ、失敗と改善点や気づきを、ノートに書き残してみると「わかっているようでわかっていなかった」と気がついたりするものです。地味に見えるかもしれませんが、自分一人で上達していくためにはこうして地力を上げていくしかありません。

この3つの上達法は、是非、自分に効果が上がるように、そして楽しく続けられるように、カスタマイズしてみてください。もちろん、本質的な部分は外さないよう注意したうえで、あなたがやりやすいように、そしてワクワクするかたちで「自分だけの上達法」にしていっていただけたらと思います。

「デザインの土地勘」ってどうやって手に入るの？

デザインが出来る人と出来ない人の差は、**「出来るという感覚」**が自分の中にキチンとあるのかどうか、だと思います。すべての問題を俯瞰し把握し、手のひらにある感覚を持てるか。この感覚がある人こそデザインが上手い人ではないでしょうか。もちろん、いきなりその感覚を持てるわけがないですね。どうすればその感覚を持てるのか、探っていきたいと思います。

出来るという感覚を手に入れよう

例えば、ベテランの芸人さんって、本番直前、舞台袖にいるのに「どこか余裕がある」感じがしませんか。多分、ネタをまる忘れしても何とか出来る感覚が自分の中にあると思うんです。

また、よく刑事ドラマで「土地勘がある人間の犯行ですね」なんて言いますよね。土地勘がある犯人は、明らかに追っかけてくる刑事さんより裏道やら隠れられそうな場所を知っているので逃げおおせたりするわけですが、だからといって、犯人と刑事さんで、犯人の地理的なスキルが上なわけではありません。ただ、**来た事があるだけ**です。少し乱暴に言い換えますと、**出来るような感覚がある＝土地勘がある、**という感じでしょうか。

そうです、「出来る」という感覚をあまり過大評価せず、「土地勘」が誰にでも持てるのと同じく、**「出来る」という感覚も「誰でも手に入るモノ」**という事を前提として読んでもらえたらと思います。

昔の失敗が行ってはいけない場所を教えてくれる

違うのは、そこがデザインという場なのか、自分が住み慣れた街なのかだけという前提で、話を進めさせてもらいます。

では「土地勘がある状態」にどうやってなるのかというと、好きとか嫌いという事ではなく、**何回も道を通っているうちに、「土地勘」なるものは醸成されていく**と思います。いつも通っている道や見ている街並みであれば、自然に一つ道を覚え、また次に一つと、気がつけば大体どこにどんな道があるかが身についてるものでしょう。そこに才能やセンスって関係ないですよね。多少の方向音痴などはあっても、土地勘は大抵身につきますから。

どこにでも行ける、どうにでもなるという感覚

さて、ここからが本題です。デザインというフィールドで「どこにでも行ける・どうにでもなるという感覚」はどうやって出来るのか。ここが皆さんの一番知りたいところでしょう。

答えは、犯人と刑事さんの例え話で、もうすでに言っています。そう、犯人のほうが刑事さんよりスキルが上だという事ではなく**「行った事があるだけ・経験しただけ」**なんですね。いつか来た道だから、余裕で「右へ行けば逃げられる」と思えるだけです。

デザイン上達の道も、**簡単に言うと「経験がモノをいう」**わけです。実際、アドバ

イスを頼まれて、後輩のデザイナーの作品を見る時に「ああこれはまた懐かしい失敗だ」と気恥ずかしい思いに駆られる時があります。

とてもよく似た失敗を、過去に自分もしているからです。いつか来た道、といえば格好良いですけど、何の事はない、後輩と同じ失敗を昔に自分がやってしまっているだけです。

すでに経験（失敗）しているから、そっちへ行っちゃいけない、って思えるだけなのです。

もちろん、ただ通ってきた道であれば、「何でもオッケー」ではありません。きちんと「なぜ、その道が危ないのか」理解していなければ、何も考えずもう一度その道を通り、穴に落ちたり、犬に吠えられるだけでしょう。

理由を理解して初めて経験値になる

いつか来た道、通った道とはすなわち「経験」であり、その積み重ねで**「いつか来た道の数＝経験値」**となります。「経験値を増やす事が大事だ！」という表面的な事は、デザイン本を立ち読みしただけでも言える事でしょう。でも、土地勘を増やすためにも「なぜ、その道が危ないか？」を身に染みてわかっていなければ、似たような道を歩いて繰り返し痛い目に遭う事になるでしょう。身に染みてわかるためには、どうすれば良いか？　という事ですね。はい、一番大切な部分です。

それは、**「なぜ危ないのか？」を解き明かす事**です。失敗・成功に関わらず、「なぜその結果になったのか？」「なぜ上手く出来たか？」「なぜ褒められたか？」「なぜ失敗したか？」「なぜクライアントはあんなに怒ってるんだ？」など、それぞれ、**その理由を理解していないと経験値にはならない**のです。

ただ経験すりゃあいいってモノでもありません。

何か失敗してしまったら、落ち込んでいる場合ではなく、その**失敗の原因を見つめて「これをしたから失敗したんだ」**と理解しましょう。

つまり、ただその経験をしただけではダメ、という事です。何か失敗したら**「なぜ、失敗したのか、次から絶対しないためには？」**と、キチンと自分で結論を出して、そこから学びたいモノです。曖昧なままにしておいたり、失敗の理由がわからなければ、もう一回繰り返してしまうだけです。

「暗闇を歩いたから、障害物に気がつかず足をとられて転んだ」と学んだなら、次からは出来るだけ街灯の多い大通りを歩けますよね。そう、何かに失敗して、一歩後戻りしてしまったら**「この失敗を糧に二歩進んでやる」**くらいに思えると、本当にそうなるものです。

経験って失敗だけ？

では、失敗体験だけが大事なのか。もちろん、そんな事はありません。「失敗は成功の母」なんて「失敗体験」を持ち上げているのは、ただ失敗して落ち込んでいる人を元気づけているだけかもしれません。「成功体験」がなければ、どうすれば上手くいくのかわからず、**上手く出来るイメージなんて持てるわけもない**でしょう。

「土地勘が良い」犯人も、最終的に目的地へ行けていなければ、最後の最後で道に迷い、捕まるかもしれませんね。とにもかくにも、成功も失敗も、より深いレイヤーで体験して意識に刻んでいく事が大切です。

そして、**「成功体験」**についても、きちんと**「こういう事を注意して実行したから、上手く出来た」**と結論を出して、似たような案件が来たら再現出来るようにしていってください。成功体験も、再現出来ないなら一回限りの事となって、スキルとして認められません。

採用面接の場面で採用担当者は、**「再現性」というスキルを応募者が持ち得ている**

か？を何とか見抜こうとします。それくらい、このスキルは大切なモノです。

ですから、上手くいった、褒めてもらえた、という経験をしたら、喜んで終わらせずに**「なぜ上手くいったのか？」の理由を**ノートに箇条書きにしてみてください。

理想としては、失敗ノート・成功ノートを分けて作り、なぜその結果に至ったのか、間違いでも良いので、自分で答えを書いてみましょう。とにかく、なぜ自分がその結果を招いたか？　せっかく経験出来たのですから、**自分なりにハッキリさせる**事です。

そうやって、一つひとつの経験値の密度を可能な限り上げていくと、少ない時間で、人よりも深い経験を得る事が出来て、**結果的に「デザインが出来るという感覚」を手に入れる事が出来る**はずです。

コラム

彼女の左目が見ていたもの

もう10年以上前のお話です。僕がデザイナー一本に絞って仕事をしていくか、昔からの夢だったイラストレーターの仕事も、半々くらいの割合でこなし、仕事を続けていくか？　迷っていた頃の出来事です。

「銀座で本格的なイラストレーター養成学校、開講！」というニュースをイラスト雑誌で知った僕は、いても立ってもいられず、見学に行き、すぐに通い始めました。

入学から2ヶ月ほど経ち、「面白そうな学校に入れたな」と、授業を受けた後、僕は気分良く帰宅の途についてました。

季節は確か、桜も散る春も終わりの夜のこと。その日に起きた「モノを作る人の可能性について僕の先入観を見事に壊してくれた出来事」についてお話しします。

それまでの僕は、例えばデザインやイラストを作る人は、初めからある程度の才能・

センスがあって、どんなに頑張っても「思い」だけでは絶対にプロにはなれないと感じていました。でも、これからお話しする物語の主人公である「彼女」はその先入観を良い意味で壊してくれました。

「ものを作りたい・上手くなりたい」と思う人の本当の可能性について知りたいと思う方なら読んでおいて損はない話です。是非、最後までお付き合いください。

＊

その日、いつものように地下鉄築地駅で電車を待っていると、ホームに学校の生徒で、毎回熱心に授業を聞いている女の子を見つけました。

その頃は、クラスメイト全員とはまだあいさつを交わしておらず、仕事の関係で、必ず遅れて出席する僕は、ほんの数人しか話をした事がありませんでした（誤解のないように書いておきますと、社会人の生徒ばかりのこの学校は遅刻にも寛容で、働きながら学ぶ事を前提にしているような学校です）。

ただ、その女の子、Ｃさんは必ず最前列に座っていて、「授業がたまらなく楽しい」という様子が後ろ姿からもよくわかり、とても目立つ人でした。

例えば、失礼かもしれないですけど、可愛い子犬が「次は何の遊びをしてくれるのかな！」と飼い主を見つめるような眼差しでしょうか。「一秒も無駄にするものか」と講師の一挙手一投足を見つめている感じが、遠くにいても伝わってくるようでした。

いつも後ろの席に座って聞いている僕は、「講師の先生にとって、最前列の生徒があそこまで前のめりに聞いてくれるのはやりやすいのか、やりにくいのか、どっちなんだろう」と、呑気に考えながらその様子を見ていました。

*

明らかに同じクラスなのに、無視するのも不自然かと思いつつ、突然話しかけるのも何だな……と躊躇していると、Cさんのほうから「あの、同じクラスですよね！」と声をかけてくれました。丁度、僕らのホームに電車が入ってきたので、揃って乗り込んで、隣に座り電車の中でおしゃべりが始まりました。

Cさんが、こちらの経歴や仕事について尋ねてきたので、僕から自己紹介をしつつ「今、デザイナーとして働いているけどイラストレーターも昔からやりたくて、この学校に通って、何かしら答えを出したい」という、初対面の人にいきなり話さないような事も、ペラペラ話してしまいました。僕自身、普段はこんなにオープンに自分の心境を喋るほうではなく、相当仲良くならない限り、大切にしている事やら、悩みなどを打ち明けないタイプですので、自分でも意外なほどでした。その日、妙にペラペラ喋っていたのは、もしかしたら、満月の日で心が騒いだのかもしれません（笑）。

今思えば、多分、彼女の目の綺麗さが原因だと思います。綺麗といっても、容姿の美しさというよりも、子どもが「人はなぜ死ぬの？」という答えに窮する質問を投げかける時に見せる「ニュートラルで透明な瞳」という感じでしょうか。大袈裟なようですが、その目で見られているとおいそれと嘘などつけないような、変な力がありました。僕は、何だか優しくも強力な尋問を受けている気になり、かなり正直に、聞かれていない事まで、答えていたと思います。

僕のほうから、嘘のない話を正直に話していたせいか、「では、今度は私の番ね」という感じで、「なぜ自分がこの学校に通うのか」彼女も話し始めました。

それは、「なぜ、いつも最前列に座り、前のめりに授業を聞いているのか？」という僕が気になっていた事と、イラストに対する情熱と、彼女の左目についての長い物語でした。

＊

彼女は、元々、絵を描くのが、大好きな女の子でした。「イラストを描いて、食べていけたら幸せだな」という、ぼんやりとした夢は持ちつつも、それなりに安定した企業の事務職に就職して、平々凡々とした、でもそれなりに幸せな毎日を送っているうちに、そんな夢も忘れ始めていた頃の事。

彼女の左目の視力は、何の前触れもなく、急激に落ちていきました。

この事を知った彼女の両親は大騒ぎし、有名な眼科に彼女を連れて行きます。精密検査を受け、あらゆる手をつくしたのですが、原因がわからず、ただただなす術なく視力が落ちていく彼女を見ているしかなかったそうです。

いきなり、そんな身の上話を聞かされた僕からすると、まったく現実感がないような話ですが、彼女が嘘をついているようには見えませんでした。彼女の身の上の詳しい話は、細かいところは僕の記憶から抜けているところもあるのですが、とにかく彼女の左目の視力は回復せず、今後良くなる見込みもないとお医者さんに言われたそうです。いくつもの医者を回っても、まったく回復に至らず、残念な事に、左目はほとんど光を失ってしまったという事でした。そして、彼女は、少しだけ真剣な口調でゆっくりと話してくれました。

「それが2年前くらいの事。その時、私はもちろん左目の事がショックだった。でもそれよりも深く『このまま絵を描いて食べていく事を目指す事もしない一生で良いのか？』って考えが、突然に心に浮かんできちゃって、いてもたってもいられない気持ちになってきたの。左目が見えなくなるまでは、そこまで深くは考えてなかったくせにね。そしたら、丁度そのタイミングで、この学校が開校したじゃない！　もう、私って単純だからさ、『この学校は私をプロのイラストレーターにしてくれるために開校されたんだ！』くらいに思っちゃったんだよね。それから、何の迷いもなく、申し込んで、嬉しがってこの学校に通っているんだけど、もう、どの講師の授業も聞き漏らしたくないし、生徒の作品講評も全部勉強になっちゃうし……」と、話は続きました。

変な話ですが、それを聞いて僕は「なぜ、彼女があんなに熱心に最前列で授業を受けているのか？」「なぜあんなにキラキラして、楽しそうなのか？」という事がすっきりと腑に落ちるように、理解出来ました。

聞けば、彼女はそれまで淡々とこなしてきた事務職もさっさと辞めて、一日中、イラストを練習しているそうです。コツコツ貯めた貯金もあるし、しばらくの生活は大丈夫なので、とにかく今は「一枚でも多く描きたい！」と思いながら、時間を惜しんで描きまくっているとの事でした。

そういえば、さっき見せてくれたポートフォリオも、やけに分厚かった事を思い出し、「今、どのくらいのペースで描いているの？」と聞くと「一日7~10枚は描いている」との事で、僕は大袈裟ではなくのけぞるくらいに驚きました。

イラストを描いた事がある方はわかると思いますが、着色まできっちりと仕上げているイラストを、しかも右目だけで、その枚数描くのはすごい事だと思います。

それを聞いて僕は、少なからずショックを受けました。今の自分にはとても無理だと感じるペースだったからです。

僕も美大を目指した頃は、それなりの枚数を描きまくっていて、一日3枚のデッサンを仕上げ講師に止められた記憶もあります。でも、はっきり言って彼女が描いている枚数は、受験生のそれをはるかに超えています。

イラストを見せてもらった感じだと、「現時点では、プロのレベルに達するのはなかなか難しいかもしれない」と感じるクオリティの絵でしたが、このペースで描いているなら、「このまま彼女はプロになれるのでは？」と感じた事も、事実でした。

そして、そのポートフォリオ一冊も、あまりに分厚く、重く、「毎回、これ持ってきてるんですか？」と思ってしまうくらいに、どこか狂気のようなものさえ感じる迫力のあるポートフォリオでした、
もう少し話そうかと思った時、電車は彼女が降りる駅に静かに着きました。話の途中で、電話が切れてしまうような唐突な感じで「じゃあ、また来週！」と彼女は降りていき、ドアは閉まりました。

ここでその話はぷつりと終わりましたが、「彼女は今日帰ってからもイラストをバリバリ描くのだな」と一人残された僕は当たり前にそう思いました。

それから、僕も地下鉄から中央線に乗り継ぎ、当時、住んでいた西荻窪駅に着きました。

＊

西荻窪商店街を歩く帰り道、いつもの通りコンビニに寄ったりしながらも、Cさんの現実離れした身の上話で頭がいっぱいでした。「しかし、一日7〜10枚ってすごいペースだな」と考え、ぼんやりと「なぜそこまで描くのだろう？」と考えていた時、僕は突然にその理由がわかりました。

そう、左目の失明の原因がわからなかったという事は、残った右目だって、明日どうなるのかわからないわけですよね。考えたくはないですが、彼女が両方の目から光を失う事、完全に見えなくなってしまう可能性だってないとはいえないのです。

完全に両方の目が見えなくなると、イラストレーターを目指す事が出来なくなる！　プロになれるかはともかくとして、プロを目指すという「生きがい」も奪われてしまうかもしれない。だからこそ、彼女は、今、プロを目指して学校に行っている自分に「途方もない幸せ」を感じているのだろう。

あの常識外れな枚数を毎日嬉々として描き、授業が始まると、いつも一番乗りで講師に作品を見てもらっているのも、「すべての謎」のピースがはまった気がしたのです。

医学的な事は、僕にはわかりません。そもそも彼女の左目が本当に見えないのかも確かめようがありません。でも、すべてわかったような感じがしました。

空を見上げると、満月が光っていました。僕は一瞬だけ「彼女の両目が光を失わないように」と祈りそうになりましたが、「いや、そんな事はあるはずがない。だから俺は神頼みなどしないのだ」とよくわからない理由で、満月を睨みました。

何だか、祈ったら悪い事が起きると認めたように思えたからです。

＊

そのイラスト学校は1年単位の学校でしたが、僕はもう1年在籍し、合計2年通ってしまいました。

彼女も2年間みっちり通っていて、その間、笑ってしまうくらいにどんどん上手くなりました。色々な方が上手になるのを見てきましたが、イラストを描く人の中では、その「上達度」は群を抜いていて、もうはっきり言えば「常軌を逸しているレベル」でした。2年の間にあそこまで上手くなった人を、僕は他に知りません。多分、一日7〜10枚のペースを落とさずに描き続けていったのでしょう。

その間に僕はイラストレーターになる事は諦め、デザイン一本で生きていく事を決めました。中途半端な思いではなく、僕はデザイン一本でいこうと決められたので、とても良い決断だったと思っています。

そしてメキメキ上達した彼女は、卒業後、プロとして仕事し始めるのにそれほど時間はかかりませんでした。

後日談としてもう少し話を続けます。学校を卒業した僕や彼女や親しくしていた友人達は、次第にそれぞれ違う道を歩き始め、段々疎遠になり、一緒に遊ぶ事もなくなっていきました。よくある話ですね。

僕もその後、彼女とはまったく会っていませんので、彼女の右目がまだきちんと見えているのか、わかりません……と、少し余韻を持って話を終えたいところですが、僕は今も彼女の右目が見えている事を知っています。

すっかり疎遠になった僕にそんな事がなぜ断言出来るのか？　というのも、彼女はイラストレーターとしてバリバリ活躍し、有名な賞を獲り、誰もが知っている雑誌の挿絵を描いていて、嫌でも目に入ってくるくらい有名なイラストレーターになったからです。

＊

あの時、彼女の左目は何を見ていたのでしょうか？

「誰にも見えない未来を見ていた」なんていうのも格好良いでしょうけど、そうではないと思います。

彼女が見ていたのは、自分の足元だけです。自分が出来る事を毎日見つめ、一つひとつこなしてきたのだと思います。彼女が有名なイラストレーターになったのも「一日に自分が描けるだけ、一生懸命に描く」という、誰でも出来そうですが、相当難しい事を素直に続けた結果だと思います。

彼女の左目が休む事を許さなかった、といえるかもしれません。もし、考えたくはないですが、夢の途中で「光を失う」事があっても、ベストを尽くしていた彼女は後悔などしなかったでしょう。今の彼女が輝いているのは、あの時の彼女が「描く事・生きる事を諦めなかった」事の当然の結果です。

結局は、描けるだけ描いた人が一番上手くなるという事を、彼女は精神力で証明し、「人はここまで上手くなる」という結果を僕に見せつけてくれました。

＊

上達するチャンスは誰にでもあります。

しかし、そんなものは精神論だと、高みの見物を決め込まないでください。

人間を作り上げるのは人間の精神力でしかないのです。

彼女の左目が見ていたのは、誰もが持っている「可能性」だったと思います。それを見つめ、伸ばす事は、僕にもあなたにでも出来るはずです。

2章

レベルアップ・キャリアアップする

現場編

デザインを ブラッシュアップして レベルアップする

自分のデザインをブラッシュアップするのに大事なチェックポイントを5つほどご紹介したいと思います。と言っても経験者の方にとっては、すでにご存知の事ばかりかもしれません。

なぜなら、制作会社などで仕事をしていると、大抵は、初心者の頃に先輩達に注意されたような共通ポイントばかりだからです。なので、そういった経験者の皆さんは、ここはすっ飛ばしてもらって構いません。

ただ経験の浅い方などから作品やポートフォリオを見せていただく時に、このチェックポイントに挙げた事がそっくりと抜けてる作品を見る事は、正直結構あります。

裏を返せば、経験が浅い方達が、この5つのポイントを満たしたデザインをいつでも作れるようになれば、明らかなレベルアップが期待出来る、という事です。基本的な事ばかりではありますが、読んでみて、損はさせません（笑）。

自分のデザインをブラッシュアップする5steps

この5つのポイントは**基本中の基本**であり、知らない人はいないでしょう。それだけに経験者でも「これらの5つのポイント」をうっかり外してデザインしてしまうと、初心者が作ったようなデザインになりかねず、注意が必要です。

逆に言えば、**初心者の方でもしっかりこのポイントを押さえて作る事で一定のクオリティに届く可能性は大きい**わけです。

5つのポイントをチェックボックスにしてみました。

このシートは、写真に撮って、デザイン制作の過程で迷う時だけでなく、普段の休憩時でも「自分のデザインで外している部分はないか？」と確認して使っていただければ、嬉しいです。

自分のデザインをブラッシュアップする 5 steps

□ 1.コンセプトを作る

そのデザインで一番伝えたいものは何か?
一言で伝わる言葉にしてみましょう

□ 2.バランスを保つと同時にバランスを崩す

画面にまとまりはあるか?
逆にまとまりすぎてつまらなくなっていないか?

□ 3.主役が目立つようなデザインになっているか?

「主役」に相応しいインパクトはあるのか

□ 4.「読めない文字」は「文字」ではない

「読めない文字」がないか? 最低限の作る側のマナーです

□ 5.常に逆から確認せよ

常に「自分の考え方の逆」を意識しましょう

デザインするうえで大切にしている事は、経験者の方は「わかる、わかる」と頷くような、ごく簡単な事なのですが、初心者の方からすると「え、そこですか？」と思うものかもしれません。

逆を言えば、ここを押さえておくと、初心者でも現場での評価が上がるかもしれません。

1．コンセプトを作る

デザインを始める時にコンセプトを考えますが、これを「何となく」で良いと考えてしまってる初心者の方は多いように思います。コンセプトはそのデザインの根幹・軸のようなものなので非常に大切です。

イメージだけでなく、それを言葉にしてみましょう。まず、最初に自分の考えを言葉にして外気にさらし、本当にそれが**「客観的に」相手に伝わるのか**、あるいは、世に出ている競合デザインと比べて、この**アイデアには少しでも「面白味」があるのか、**と考えてください。

もちろん、「面白味」とは、笑わせる事ではなく、キャッチーであるかとか、人を振り向かせる何かがあるか、とかそんな感じです。

「コンセプト」というと少し難しそうで、どう考え始めれば良いかわからないなら、まず**「そのデザインで何を一番に伝えたいのか？」**また「どんな風に、誰に伝えたいのか」を初めの一歩として案を出し、それが明快になった後、次の段階で「果たしてこれって、人の目を惹くほどの面白さがあるかな？」とチェックします。

足りないようなら、見せ方を少し考える、というように2段階に分け、順序立てて考えてみるのも良いかもしれません。

ここで、勘違いしたくないのは**「出発点」は、自分ではなく「お客様」だという事です。**「自分が自分が」と「自分らしさ」を、最優先にするのは、デザイナーとして失格でしょう。コンセプトと自分らしさ、は基本的には無縁です。関連づけないようにしてください（競合と差別化はしたいですが、そこに自分をねじ込む必要もないはずです）。

デザインを作っていく中で、色々と迷い、自分で自分が作ったコンセプトから逸れていってしまう事もあるかもしれません。そうならないためにも、デザイナーは**あらかじめコンセプトを言葉にして、時々見返す意識が必要**でしょう。

自分の立てたコンセプトでデザインしてみたらどうも上手くいかなかった、とても人に響くようなデザインにならなかった！　なんて時は、コンセプトから考え直し、変えていく必要があるかもしれません。

なかなか自分の立てたコンセプトを修正するのも勇気がいりますし、頻繁にコンセプトの完全なやり直しは起こりませんが、根本的に違うと思えば、そこから変えるべきだという決断が必要にもなります。

デザインの言語化

デザインを言葉にして説明する事の一番の意味や目的は、まだ**「主観」でしかない自分の中のイメージなどを「客観」視するため**です。多少語彙が不足していようが問題はありません。

「言葉」は、まずは自分のために発します。**「自分が考えている事が客観的に見て、人に共感されそうか」**を一人で吟味するために言語化が必要だという事です。

自分がやろうとしている事が客観的に見て面白いものなのか、クライアントの要望を叶えるに適したものなのかを考えるうえで、絵がまだまだ出来上がっていない段階での**「作り手の羅針盤」として言葉が必要です。**大切なのは、深い言葉とか自分だけがわかる言葉ではなく、わかりやすい明快な言葉を選ぶ事です。

最初の段階で**自分の考えが整理され、言葉として皆に伝わるくらいにまとまれば、最**

終的にプレゼンする時にも、問題なく説明出来て進められます。特に、プレゼン時に初めて言葉にするなど、後付けで言葉を考えてきた人は、早い段階で自分のデザインを言葉にする事をおすすめしたいです。

抽象的な話ばかりだとイメージしづらいかもしれません。具体例を出しましょう。

個人でやっているパン屋さんのサイトを作るとして、デザインのコンセプトを、例えば**「格好良さより親しみやすさを前面に打ち出す。その地域のお客さんが、毎日来たくなるような、手作りで出来立てのパンが並ぶような素朴で温かいイメージのビジュアルとする」**とまずはこんな感じで文章にしてみます。

もちろん、これは**パン屋さんの店主**（クライアント）**とのヒアリングを受けて、その思いを文章にまずまとめてみた感じです。**この文章は、ヒアリング段階で、このまま、クライアント（ここでは店主さん）さんに「方向性は間違っていませんでしょうか」という確認の意味で見てもらいます。

この段階で店主さんから「これだけではない、もう少し尖った感じを……」とか、逆に「出来るだけオーソドックスに、誠実な感じで、クオリティ高いサイトデザインにしてくれればそれで十分」とオーダーが来れば対応して、まずは言葉でやりとりしつつも、段々と「こういうサイトのイメージと似ているか?」など、イメージ共有もしていきます。

ここで注意したいのは、いきなりクライアントに、参考サイトのＵＲＬを送りつけて、「この中からイメージに合うものを選んで欲しい」などとは、やらない事です。

まずは、ざっくりとでも良いので「言葉での共有化」を、ヒアリングで明快にして、**進むべき方向性を大筋で決めてから「イメージの共有化」に進む事が大事**です。

「作業の効率化」と称して、いきなりヒアリングもせずに、「参考サイトイメージを、同業他社の既存サイトからいくつか探しＵＲＬをお送りする」事をルーティン化している制作会社も見かけますが、ありきたりでどこにでもあるようなサイトデザインが出来上がる可能性が高いですし、その**クライアントが本当にデザインに求めている部分が抜けたまま、表面的なデザインで終わる危険性もある**ので、おすすめ出来ない進め方です。お金を戴き、わざわざデザインを依頼されているのなら、デザイナーはクライアントに唯一無二のデザインをお届けする姿勢を忘れてはいけません。

基本は、目の前のクライアントへの「ヒアリングありき」で考えるべきです。

ヒアリング前にデザイナー側でイメージを膨らませ過ぎるのも、危険です。どうしてもデザイナーの好みが入ってしまい、ヒアリングでそちらのイメージに誘導してしまう事になりかねません。デザイナーに素晴らしいアイデアや提案力は必要ですが「出発点はお客様」だと心得ましょう。

という感じで、デザインコンセプトが明確になってクライアントにも納得してもらえたら、その本質を簡単な一文にして付箋に書いて、モニターにでも貼りましょう。目に入るところが良いかもしれません。時々は休憩時などに、そのコンセプトをチラ見しながら、デザインを進めていく事です。言葉は、キーワードみたいなモノでも、自分さえわかれば何でも良いと思います。

ただ、出来るだけ**「客観性を持っている、誰にでも明快にイメージ出来る言葉」**を選ぶようにすると、後から「アレ、俺は何を言おうとしてたんだっけ？」なんて事になりにくいです。

とにかく、デザイナー自身がコンセプトを見失い、どこへ進むかわからない中で、「手先だけ動いている状態」は避けたいですね。そうなってしまうと「手先、つまりその先のソフトに動かされてる状態」になり、誰のデザインなのか、わからなくなってしまいますから。

デザイン作業に没頭して、**脳内から論理的思考が吹っ飛んでしまっても、初めに立てたコンセプトに戻れるように、最初に自分が発した言葉を手がかりに、デザインを進めていきたいところです。**そしてお客様にデザインを説明する場面でも、基本的に制作当初から確認してきた言葉をそのままお客様にお伝えするだけです。デザインが完成してから「さて、どう自分の作ってきたデザインを説明するか？」と言葉を選ぶようなら、多分そのデザインは失敗でしょう。

理想的なのは、言葉（意図）と同時にビジュアルが、ほとんど一緒に浮かんでくる事です。一見難しいようですが、場数を踏むとそれが出来るようになります。

実際、成功したデザインの制作工程を思い浮かべると、コンセプトを言葉にするのと同時にそのコンセプトに最適なフォルムや色が頭に浮かんだりしていました。

もちろん、神がかり的にそうなったわけではなく、その案件について考え抜いたからこそ、**意図あるデザインが自然に出来ていた**のかなと思います。同業者に聞くと、似た経験をされた方も多く、自分だけの感覚ではないようです。

例えば、最近、担当させてもらった案件でメタバースやＶＲを扱ったサイトデザインを作ったのですが、画面全体を大きく斜めに分けるレイアウトが自然と浮かんできました。そして、同時に**「最先端のトレンド感や次の時代へ進むイメージを出すために、画面を斜めに分け、動きを出すレイアウト案が最適だ」とその理由も言葉としてほぼ同時に浮かんでました。**

おそらく、この時は、何度も何度もクライアントのお話を聞き、自分の中の「引き出し」を開けるうちに、自分の中で**「感性」と「論理性」の回路が、無理なくつながった**のだと思います。もしかするとこの流れこそ、良いデザインが出来る時の理想的なかたちかもしれません。

「なぜその作業をするのか」と言語化して確認せず、何となく手だけ動かしている状態から離れて、**自分で意識してデザインをコントロール出来るようになれたら、かなり前に進めるはずです。**コンセプトを立て、自分の中で明快にする事。これがデザイン制作の初期段階で一番大切な工程かもしれません。

2. バランスを保つと同時にバランスを崩す

「バランスを保つと同時にバランスを崩す」

完全に矛盾しているようですが、どちらも大事です。デザイナー歴が長い方は、もうこの考えが身に染みていて、無意識に実践しているのではないでしょうか。

画面の中で最適なバランスを取る事は基本ですが、同時に**バランスを意識して崩す事**もまた大切です。この両方に気をつけて作っていくと、結果的に「メリハリが効いたデザイン」が出来上っていくので、あまり気にしていなかった方は、少しずつでも心がけてみてください。

バランスを取っていく部分とは、規則に沿って画面要素を均等に並べる事であったり、箇条書きの文字要素を文章の頭で揃えてあげるとか、同等の価値を持ついくつかの画面要素を同じ大きさのグリッドとして配置していくといった、「規則的で美しく画面をまとめていくデザイン」という認識で間違っていません。

ここのあたりは、センスがどうという話ではなく、**デザインの基本であり、同時に、それ以前に一般的な感覚レベルの話**で、デザイナーでなくても身の回りを少し注意して見てみれば、どなたでも、すぐに見つける事が出来るかと思います。

例えば、電車の路線図の各駅のフォントサイズは同じですし、お料理屋さんのメニューの一覧も同じフォントサイズで、綺麗に揃えられてデザインされているはずです。当然といえば当然で、デザイナーであろうがなかろうが、知らずに使っている共通認識です。そういった部分をきちっと守ったデザイン作りをしていく事は、プロのデザイナーとして最低限持っていないといけないスキルです。

しかし一方で、バランスを全体的にきちんと取ったうえで、**主役として見せるところはあえてバランスを崩す**必要があります。

それにより「主役が目立つ」からです。

例えば、先ほどの「お料理屋さんのメニュー」の例でいえば、ファミレスなどでも「季節限定の〇〇料理」などは大きな写真入りで、ページは見開きで紹介されてたりしますね。そういう「イチオシ」な情報は、他と同列には扱われず、**バランスを崩すという作業で目立っている**、ともいえます。

例えば、小さなバナーなどでも、目立たせたい部分は、フォントを変えたり、サイズを大きくしたり、斜めに傾けて配置したり、全体のトーンから浮いた色を使って目立たせたり、色々他と変えて表現されたりしているはずで、それもつまりは、バランスを崩しているわけです。

具体的に例を挙げます。何十年も続く、『(Sports Graphic) Number』（文藝春秋）という誰もが知るスポーツ雑誌がありますね（ご存じでない方は、ググってみると、すぐに表紙の画像が沢山出てきますので、是非、ご覧になってみてください）。

「Number」という一番大切である**雑誌のロゴが、かなりの確率で、その号の主役の人物写真によって隠れています。**

場合によっては「Nu○ber」としか見えない時だってあります。雑誌名の認知度が高いという事もありますが、雑誌のタイトルをきれいに読ませるよりも**（雑誌のロゴが）人物写真などで隠れる事で違和感を演出し、ダイナミックな画面作りに成功している**わけです。他の雑誌の表紙でも似たような効果を狙っているものもありましたが、**ここまで大胆にバランスを崩してインパクトを生んでいるデザイン**も珍しいと思います。

デザインでは主役だけ、少し違和感があるように見せて、見る人の目を引き寄せる事があります。

「画面がおとなしくて何かつまらない」と感じた時に、**「目立たせるべきところ（主役）をちゃんと目立たせているかしら」**と軽く自問してみると良いでしょう。その時にきちんと自分で気がつき、デザインのバランスを崩し（壊し）、主役を目立たせられるようにしていけば、**画面全体にメリハリがついた強いデザイン**になる可能性が高いです。

何人かデザイン初心者の方の作品を見させてもらった時、一定の割合で、最初から最後まで画面がおとなしいままで完了してしまう方がいました。初心者の方は、バナーデザインなどでアピールすべきポイントでも、大きさを含め、他の要素とあまり変わらない見せ方をしてしまい、**画面全体が均一に見えてしまう**時があります。

アピールすべき部分（主役）は、デザイナーが意識して**「ここを目立たせよう！」とし**ない限り、目立つようにはなりません。メリハリがあるデザインを作りたいなら、何が主役かを意識して少しやり過ぎくらいに目立たせる事が第一歩かもしれません。

いずれにせよ、講師や先輩デザイナーから、**「綺麗にまとまっているんだけど、何かが足りないんだよな」**と言われた経験のある方は、自分のデザインのバランスを崩して、メリハリのあるデザインを作るように意識した方が、良いかもしれません。「綺麗にまとまったデザインを作る事が出来る」のは素晴らしい事ですが、まとまり過ぎるデザインもインパクトに欠けて、物足りなくなる事も多いので、せっかくそこまで出来ているのであれば、少し勇気を出して、**自分のデザインのバランスを一点だけ崩して一番目立たせたい主役を立たせてみてください。**

デザインは、作る事と壊す事の繰り返しです。

「壊す事で新しく作る」くらいに考え、メリハリがないデザインになりがちの方は、是非一度「壊す」事を試してみてください。

この話は、逆もまた然りです。破天荒な感性の人は画面全体がすごく面白くて魅力的だけど、揃ってなければならないところが揃っていなかったりして、画面が散らかった印象を与えてしまっているかもしれません。

その自覚がある方は、「バランスを取る」よう心がけ、画面全体を整理していく感覚で整えていくと良いでしょう。自分が得意でやりやすい、と思う表現は、実は自分では変えられない「癖」かもしれません。反対側を試せるようになりましょう。

あまり神経質になってもいけませんが、「自分は大きく分けると、どっちタイプだろうか？」（まとめ型か壊し型か）と考えてみましょう。

自分の癖がわかってくると、一人で自分のデザインの足りない点を直していく事が可能になります。

今まであまり意識していなかった人は、一度デザインを振り返り、自分の癖を正しく知って改善点を探し、実践してみると良いと思います。

3．主役が目立つようなデザインになっているか？

デザイン作業を始める前に**「主役」を明快にしましょう。**
これは「1．コンセプトを作ろう」と深く関係するところですが、**ビジュアルとして何を伝えたいのか**を（作り手の意識の中で）まず明確にする事です。

基本的には、画面全体でユーザーの目を惹く部分に、**デザイナーが一番伝えたい要素**が配置されているものです。

舞台の上で、まず観衆の目を集めるのが主役であるように、画面内でも見せたい人（ポイント）や伝えたい部分を目立たせる画面作りをする必要があります。

特にデザイン初心者はある程度**「主役をきちんと立たせる」**事を意識したほうが良いかと思います（経験者は場数を踏み、失敗や経験から、自然と出来ていたりしますが）。初心者の方にデザインを見せていただく時**「主役はどれなのか、何を一番に見せたいのか」**

はっきりしないデザインが時折あります。メリハリをつける事に遠慮もあるのかもしれませんが**「これを一番に見せたい」**とはっきりとわかるようにビジュアル化出来ていないのです。全体的に良く出来ている場合など、「主役さえ目立てば……」と、とてももったいなく感じたりします。

画面全体が均一になってしまうと、ユーザーがパッと画面を開いた時に、まずどこを見たら良いのか迷ってしまいます。迷ってしまうという事は、興味を失い、二度と見てくれない、という事にもつながるので、かなりまずい事です。

ショッピングモールなどのセールのポスターやバナーで「4割引セールをやっています」という大事なコピーが、他と同じ大きさでまったく目立たないのであれば「何のために広告を打ったんだ！」とクライアントに怒られても仕方がないですよね。

「メリハリがないデザインになってしまう」場合、その原因は主に次の二つがあると思います。

①　手癖で何となくそうなる場合

②　そもそも見せたいものが何か、作っている本人の中ではっきりしていない場合

いずれにせよ、どちらも主役が不明瞭になってしまうので結果は同じですが、特に

②の場合は、早い段階でまず主役は何か、見せたいものは何か、作り手自身の中で明快にしてから始めるようにしましょう。**作り手がわかっていないのにエンドユーザーが勝手に主役が何かを理解する事は絶対にありません。**

主役が一番目立つのは当然ですが、脇役あっての主役だったりしますので、画面上の各エレメントの関係をよく考えて、全体のバランスを取る事が大事です。脇役といえども、主役を引き立てるだけでなく、しっかりと画面要素として活かしてあげましょう。

このあたりは「1. コンセプトを作る」と密接に関わってくるところですね。例え話だけではわかりづらいので、少し具体的に順を追って書いてみます。

このデザインで何を伝えたいか、コンセプトを明快にする
↓
そのコンセプトはビジュアルとして何を主役にすれば（どこを見せる画面作りにすれば）成り立つのか、考える

↓
脇役とのバランスも考えつつ、どうすれば効果的に主役が目立って見えるのか、全体のバランスを考える
↓
主役・脇役それぞれ配置してみて、ジャンプ率などを調整し、画面全体のバランスを取る

そんな流れで作るのが一般的だと捉えておいてください。

この作り方が合わなかったり、主役や脇役が並列になるようなデザインもある事はあるのですが、基本的には絵の中で目立たせたい「主役」に目がいくよう計算し、**主役を明快にしていくのがデザインの基本**だと思います。

特に、初心者の方は均一なデザインや余白を大きく取ったい**いわゆるシンプルに見えるデザインは、あまり真似しないほうが良い**ように思います。

キャリアとして駆け出しの頃にそのパターンばかりやっていると、あえて平坦に・

余白があるデザインにしている意図を理解せず、「デザインってそういうものか。メリハリとか特にいらないな」と、理屈ではそうではないとわかっていても、体がそんな事を覚えてしまう恐れがあります。

Ｗｅｂデザインなどは、レスポンシブなどの関係でレイアウトフォーマットはあるモノですが、それでもそのフォーマットを使わずに、ノングリッドで作らなければならない場面は必ず来ます。絵はいつでも作れるようにしておきましょう。

初心者だけでなく、経験者でも、意識的に**「何を主役にして何を言いたいのか、はっきりさせる」**と自分に言い聞かせていかないと、メリハリがなく、弱いデザインが出来てしまいがちです。意識的に自分のデザインを振り返り、脇役の方を目立たせるような「浮気」をしていないか、チェックしていく事をおすすめします。

また、ＵＩ・ＵＸという言葉が少し前に流行りました。ユーザーファーストと声高らかに言われてもいます。機能性や操作性はすごく大切なので、間違いではありません。しかし、そもそもメインビジュアルを含めた、パッと見のファーストビュー（Ｗｅｂデザインでスクロールせずに見られる領域）を見て興味を惹かれなければ、基本的には、二度とユーザーは戻ってこないものです。**魅力あるビジュアルデザインは、アクセシビ**

リティの一部でもある、そんな見方も忘れてはなりません。

主役を目立たせる時に、**作り手は当然「何が主役なのか」わかっていなくてはいけません。**そして、それは自分で決めたコンセプトから、ほとんど自動的に導き出されるものです。主役を目立たせる事は、単なる画面構成の問題ではなく、「何を主役として見せれば、このデザインで伝えたい事が一番ユーザーに伝わるのか？」という、根本的な部分に関わってきます。その事を忘れないようにしたいものです。

そして「主役が何かわかるデザイン」が達成できると、自然に（主役の箇所を中心に）バランスが崩れ、メリハリのあるデザインとなります。すべては繋がっています。関係性も気にしてみると理解が深まると思います。

4.「読めない文字」は「文字」ではない

デザイン上で（あえて意図して「絵」として見せるなら構いませんが）読めなくなった文字は文字ではありません。ただの見にくい文字に似たフォルムです。

何を当たり前の事を……と怒られそうですが、正直な話をすると、自分もＷｅｂデザインを始めた頃、時々注意されていたミスです。

デザインは絵作りだと思うあまり、**絵としての完成度ばかり追って文字を見やすくする事がつい疎かになってしまう**事がありました。

一番多いのは、**文字とその文字の背景色の明度差が少ない**ため、文字が見えなくなってしまうケースです。また単純に文字が小さ過ぎて見えない事もあります。この視認性・可読性が足りない文字の問題は、些細なミスのようでいて、かなり根本的な問題を抱えています。初心者の方がやりがちなのは、これはたまたまではないかもしれません。

私達がグラフィックデザインを作る理由は「伝えたい何か」があるからです。グラフィックデザインは**フォルムと文字の複合体**で、文字として何と書いてあるのかまったくわからず、よく見えないけど全体的に綺麗だから良い、なんて事はまずありません。**伝えたい部分が伝わってこそのデザイン**です。

一般的に「デザイナー＝センスがずば抜けて良く、美しいものを作る人」という風に見られがちですが、**本質は「伝えるべきものを伝えたい人に伝える」**事がまず第一です。そう考えると、アートとデザインの境界線をあいまいに捉えている方が、視認性が弱いデザインを作ってしまうのもわかります。

例えば、有名な歌手のコンサートのポスターを依頼され、その歌手の素晴らしさを最大限に伝える、アート志向の高いポスターを求められた時でも、そのコンサートがどこで開催され、日時はいつか、どこでチケットは買えるのか、基本の情報が明快に伝わっているのか？　は注意しなければなりません。

映画のポスターであれば、タイトルロゴが読めなければ、映画の題名さえわかりませんし、上映時間がわからなければ、ポスターを見て映画を観たくなった人が何時に映画館に行けば良いのか、わからなくなります。

「そんな大げさな。いくら何でも、読めない文字を、レイアウトするわけはないでしょう？」と思われるかもしれませんが、初心者のデザインではよく見受けられるミスだったりします。

そう、**視認性を確保出来るかは「意識」一つですぐに変わります。**僕も新人の頃、見えにくい文字を配置していましたが先輩に毎度言われ、注意していく中で、割とすんなり直す事が出来ました。

「読めない文字は文字ではない」と付箋に書いてPCのモニターに貼った事もあります。自分自身に言い聞かせるには、効果的な呪文かもしれません（笑）。

きちんと文字として機能するくらい見えているのか、視認性が確保されているのかは、そこを押さえていなければデザイナーではない！　くらいに、考えていたほうが良いでしょう。大切なポイントですので必ずチェックするようにしましょう。

5．常に逆から確認せよ

タイトルだけ見ると、何か難しそうですが、簡単な事です。これは、僕が美大予備校でデザインを学んでいる時に、気がついた真理（?）です。

美大予備校でデッサンを描いている時、どうしても、正確に形が取れず、四苦八苦していると、講師に**「ネガティブスペースを見てごらん、そうすれば、モチーフの形が正確に取れるようになってくるから」**と指摘されました。ネガティブスペースとは、モチーフ以外の背景のスペースです。石膏像を描くなら石膏像以外のスペースの事です。

普通、私達はモチーフを見る時に、モチーフそのものの形を見ます。いや、ほとんど、そのポジティブスペースであるモチーフそのものしか見ないに等しいはずです。

一見、この見方が正しいようですが、デッサンでモチーフの形を正確に捉えたい時、この捉え方だけで描くと、かなりの確率で形が狂います。モチーフの形だけでなく、ネガティブスペースの形も見るようにすると、正確に形が取れるようになるでしょう。単純にチェックポイントが2つに増えますし、まったく別の見方をする事で一方向からものを見ているだけではわからなかった形の狂いに気がつけたりします。

これはデッサンだけでなく、デザインの様々な場面でもいえる事です。**「別のものの見方」が必要になる時がデザインを作っていくと必ず来ます。**

デザイン教育の過程を振り返れば、なぜ美大のデザイン科の入試科目から「デッサン」がなくならないのかという事の答えもここにあるともいえます。

デッサンという作業の過程で、描き手はモノの見方を変える事で、目の前のモチーフをそのまま描く事（デッサン）を達成します。デザインを作る時にも同様に**「別の見方、逆から見る事」**で、**問題解決する方法を増やし、より良いデザインを作れるようになるわけです。**

よくSNSで「デザイナーにデッサンや絵を描くスキルはまったく必要ない」と公

言する方がいますが、ちゃんとしたデッサン経験がないから言える事で、**デッサンは鉛筆の使い方より「デザインの見方や考え方」を学ぶもの、**そう考えておいたほうが正しいはずです。

とにかくデザインという作業（ものを作る作業）はこうと決めたらこれ以外ないと、一つのアイデアに固執しがちですが、**自分の選んだ方法以外に何か良い方法がない**か、自分で気がつくために**「常に反対側から確認する」事は非常に重要**です。

これは、初心者だけではありません。ある程度経験を積み、自分の中にもの作りのルーティンや必勝パターンを持つようになったベテランにとっても非常に大切な視点です。

言い換えれば、**「自分の中に他人の目を持て」**という事です。最後のstepsに相応しい大切な事なので、是非じっくりとこれだけでも覚えてもらえればと思います。

よく「自分の作ったものを見返せ」とか「一旦、離れて見ろ」とかいわれますが、ある意味では「常に逆から確認する」と**「自分から離れて見る、反対側の視点を持つ」は同じ事**をいっている気がします。逆側や反対側からの見方を持つ事が出来れば、いい意味で自分に厳しい態度でデザイン制作を進めていけると思います。

就職・転職編

デザイナーとしてキャリアアップする

この「就職・転職編」ではデザイナーとしていかに「キャリアアップ」していくか？　について、書いていきます。「キャリアアップ」するためには、必ず転職しなければならないわけではありません。社内でキャリアアップをする方法も、いくらでもあると思います。しかし、会社内でのキャリアアップについては、会社の数だけやり方が違います。すべてに共通する方法は紹介出来ないので、ここでは「転職を介してのキャリアアップ」に話を絞らせてもらいます。

さて、転職をする・しないにせよ、自分の棚卸しをする意味で、ポートフォリオは日頃から作っておくべきでしょう。

また、そもそもまだ制作会社にまだ就職されてない方もいらっしゃるでしょう。その方達には、実績がない状態でどうやってポートフォリオを作っていけばよいか、などを具体的に書かせてもらいました。

なかなか、ここまで突っ込んだ内容を書いたデザイン本もないと思うので、参考にしてみてください。

より良い環境で働く事の大切さ

デザイナーにとって「より良い環境で働く事」は大切な事です。

初心者の方や経験がほとんどない方は、制作会社などからキャリアを始め、まずは自分が出来る事で会社に貢献しながらも、上司や先輩、同僚からも様々なものを吸収し、また何より**デザインを作る経験から学び**、他者と競い合う事でスキルアップしましょう。**デザイナーに一番大切なのは「スキル」**であり、スキルがない人間が「ここは自分に合う環境ではない」などと言っていても、本気で耳を傾けてくれる方などいないはずです。

ある程度のスキルを手に入れたなら「より良い環境で働く事」を求めるのは、自然であり必要な事だと思います。もちろん、1ヶ月や2ヶ月で辞めるのはあまりに堪え性がありません。しかし、制作会社も千差万別で、働いてみないとわからない事も正直あるでしょうから、しばらく働いてみて**どうしても会社と合わない場合、より良い環境を求めて転職を考える**のは悪い事ではありません。

もしくは、単純に「給料が少ない」「残業が多い」といった事で、環境を変えたいというケースもあると思います。

この章では、ある程度スキルをつけてきた方が真剣に考えた末に、いざ転職活動をしようとした時、**「具体的に何をすれば良いのか？」**を書かせてもらうとともに、転職活動をしながらスキルアップしていく方法まで、ご紹介出来ればと思います。

実際、就職・転職活動は、なかなかに大変です。相手がいる事ですし、いくら自分が集中して1ヶ月で次の会社を決めようとしても期待通りにならない事のほうが多いと思います。また、不採用が続くと、自分の存在が全否定されている気にもなりますし、精神的にキツいモノです。

そんな時には**「就職・転職活動」自体が、自分にとって色々な学びを手に入れる活動であり、スキルアップにも直接的につながる経験**だ！　と自分で自分に言い聞かせましょう。ある意味では、転職活動って「自分自身のプレゼン」とも言えるので、この経験がデザイン制作にプラスにならないわけがありません。

デザインに伸び悩んでいた人が、転職活動の経験を通じて成長し、デザイナーとして大きくジャンプアップするケースもよくある話です。

では、前置きはこのくらいで、まずは、未経験者の就職時に必要な実績を、どう作っていくかについて、良い方法を紹介したいと思います。

未経験者は面接前に何を作る？

まず、**デザインの現場は未経験という方が、採用試験の面接時に見せるポートフォリオに何を載せれば良いのか？**　というお話からさせてもらいます。

ここでは、Ｗｅｂデザイナーという設定でお話しします。

一般的には、「架空サイト作り」をして、作品としてポートフォリオに載せるケースが多いでしょう。

「架空サイト作り」というのは、実在しない「架空のクライアント」を設定し、そのクライアント向けの**「架空のＷｅｂサイトデザイン」を自分の作品として作る事**で、主に初心者で作品実績が足りない方がポートフォリオを完成させるためによく使う手法です（ちなみに「架空サイト作り」といっても、サイト丸ごと作るわけではなく、トップページと作ってもセカンドページ程度です）。

ＳＮＳではよく、初心者の方が「架空の美容院のサイトを作ってみました！　皆さんご意見ください。」と作品をアップしたりしていて、見かけた方もいらっしゃるかもしれません。

初心者は、架空のサイトでも何でもどんどん作るのは練習として良い事だし、個人的には肯定派でした。でも、少し気になるところもあるので、ツイッター（現X）で、下記のように呟いた事があります。

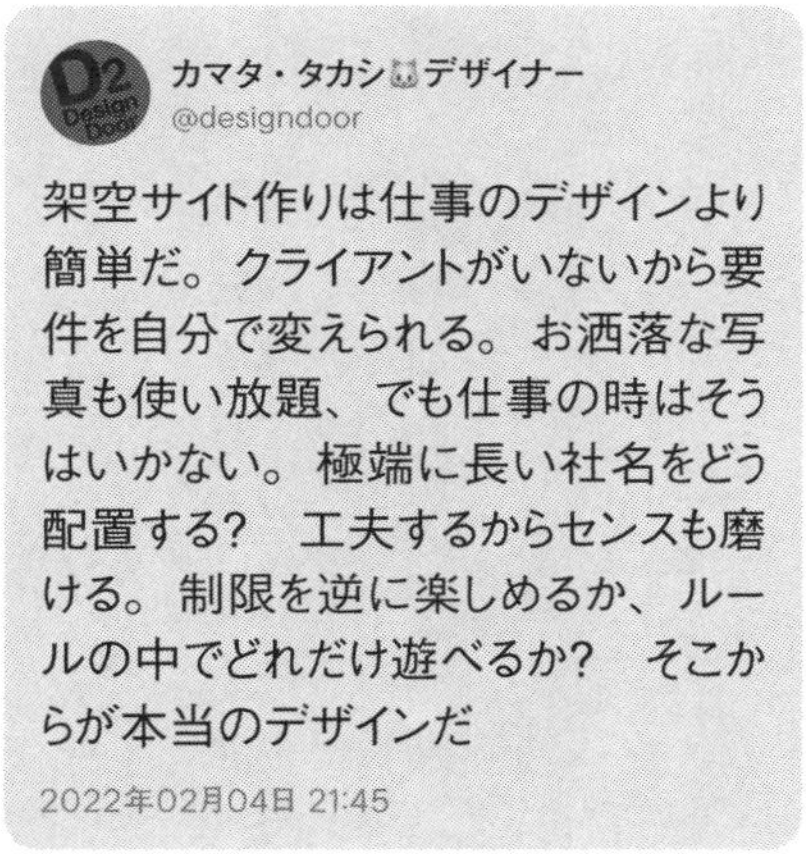
カマタ・タカシ デザイナー
@designdoor

架空サイト作りは仕事のデザインより簡単だ。クライアントがいないから要件を自分で変えられる。お洒落な写真も使い放題、でも仕事の時はそうはいかない。極端に長い社名をどう配置する？　工夫するからセンスも磨ける。制限を逆に楽しめるか、ルールの中でどれだけ遊べるか？　そこからが本当のデザインだ

2022年02月04日 21:45

軽い気持ちでツイートしたのですが、僕のアカウントにしては少しだけバズりまして、「いいね！」が350くらいつきました。

多分、それなりに「架空サイト作り」に皆さん関心があり、僕と同じ違和感を持っていらっしゃるという証なのだろうと思います。

なぜ「架空サイト」を作るのか？

そもそも未経験であれば、本来、実績はなく、見せるものがないので、習作を作って採用面接時に持っていくのは当然の事です。

僕自身の経験から言うと、アパレルデザイン会社からWeb制作会社に転職した30代初めの頃、仕事の実績としてはアパレルデザイン（傘）しかなかったので、架空サイトのデザインをいくつか作りました。簡単に言えば、ポートフォリオに入れる作品が足りなかったわけです。

当時の僕のように、未経験で作品数が少ない人は**「架空サイト作り」をしてでもデザインを作り、ポートフォリオに載せるべきです。**作品がなければ、採用担当者が「どれくらいのスキルを持っている人か？　絵を作れる人か？」判断出来ませんからね。

僕がとある制作会社の採用担当をさせてもらっていた時、面接でHさんという方のポートフォリオを見せていただきました。

Hさんは、**DTPデザインの経験はありましたが、Webデザインは未経験**だという事で、ポートフォリオは、架空サイトのデザインばかりでした。

彼の場合も、とにかく**Webデザインの経験はないけどここまで作れますよ！**という、スキルとやる気を証明するために作っていて、架空であろうが、Webデザインとして仕上げてくる事は必要でしたし、それがなければ、書類選考を通って面接の場まで来られなかったはずです。

HさんのWebデザインの作品は、まだまだなところもありましたが、採用させてもらいました。まず、Hさんの場合、10個以上架空サイトデザインを作ってくるような**（良い意味で）熱量・やる気があり、本気で取り組んでいる事は一目瞭然でしたし、また作品説明において自身の問題点とアピール出来る部分をきちんと自分でわかったうえで伝えてくれたから**です。

Hさんの問題点は、「Webデザインの経験がない事」。アピール出来る点は「DTPデザインがきちんと出来る事」。そう、DTPデザインの作品も、20作品ほど見せてもらいましたが、どれも一定のクオリティに達していました。

「架空サイト」のWebデザインについては、正直、色々とおかしな部分はありました。完成度が低いというより、Ｗｅｂデザインにまだ慣れていない……という感じで、例えば、Ｗｅｂサイトの左上や真ん中上部分に企業のロゴが配置されていたりするのですが、Ｗｅｂデザインに慣れていない方はそのロゴを妙に大きくしてしまう事があります（Ｈさんの作品にもその欠点は見られました）。

僕自身、アパレルデザインからＷｅｂデザインに移った時によく「ロゴが大きすぎる」と注意されました。

紙のデザインの場合と違い、Ｗｅｂデザインの場合は実寸でプリントアウトなどが出来ず、すべてモニター内で完結するので、慣れるまで自分の作るデザインエレメント（画面要素）や文字のサイズ感が掴めなかったりするんですね。

これらの事も、Ｈさんがあらかじめ架空サイトを作って見せてくれたから、面接した時点でＨさんが持つ課題と、それが比較的簡単に修正できるレベルのものだと、すぐに判断出来ました。「この方は元々ＤＴＰデザインのクオリティは高く、デザイナーとしてのベースは出来ているので、少しアドバイスすれば、すぐにＷｅｂデザインも作れるようになる」と一緒に働くイメージが湧いたというわけです。

「架空サイト作り」に色々と問題点はあれども作ったほうが良いのは、**作品数が足りず、見せるものがないという事が採用面接で圧倒的に不利になる**からです。手ぶらで面接にいくのは絶対避けた方が良いでしょう。「やる気がない人」と判断されてしまうのはもちろん、「作り続けていけない人」とも判断されてしまいます。

しかし、(冒頭で架空サイト作りに)「問題点もある」というツイートを紹介させてもらいましたし、架空サイト作りの問題点を詳しくご説明すると同時に、(架空サイト以外に)**採用面接に持っていける作品作りの方法**もご紹介します。

「架空サイト作り」の問題点って何？

では、先のツイートにあった架空サイト作りの問題点はどこにあるのか。

少しご説明しておきます。

何が問題なのか、簡単にいうと、**作り手自身が、画面に入れる要素であったり、方向性を、自分が作りやすいように決められてしまう事**でしょう。

「何を作るのか？」という部分を、クライアントでもないデザイナー自身が、自由に決める事が出来るのは、普通に考えて不自然です。デザインって基本的には、**お客様から依頼を受けて作り始めるもの**で、そうでなければデザインとはいえません。

自分が起点となって作り始めると「アート」か「趣味」になってしまう可能性が大きいわけですね。

もちろん、「架空サイト作り」も**作るデザイナーの習熟度によって結果が変わってきます。**実案件制作をいくつか経験された方は、それなりにリアリティのある要件定義をしてきますし、トップページに載せる内容（主にテキスト）も過不足なしに用意する事が出来るので、「このサイト本当にあるかも」という**リアリティのある架空サイトを作る事が出来ます。**

しかし、未経験者の場合、極端なものだと写真だけでほとんど全画面を占める、ファッションブランドのサイトを模しただけのレイアウトになっていたり、趣味の延長線に見えるものが多いようです。

例えば「架空の美容院」を設定して作ったという架空サイトデザインをＳＮＳで見ましたが、明らかに「こんな美容院あったら素敵だな」という、作り手の願望としか見えず、サイトのデザインもＳＮＳのプロフィール画像とまったく同じ色味でまとめられていて、何だか自分が見たい絵を作ってしまったようにしか見えませんでした。

厳しい言い方をさせてもらうと、このデザイナーの場合、デザインに対する一番根底にあるべき理解がずれている気がしました。

つまり、「好きなものを好きなように作るのがデザイン」と、デザインの意味を取り違えているようにさえ、見えてしまったのです。そのデザイナーの作品を見た採用担当の方は、自分が日々経験しているプロの現場でのデザインとの乖離を感じてしまうと思います。

なので、あえて自分の趣味から離れているようなジャンルの作品もポートフォリオに作っていく事をお勧めしたいです。

あるテイストの作品だけ載せたポートフォリオは、そのテイストが「得意」とは受け取られず、「それしか出来ない」と判断される恐れがあります。

出来る事なら、架空サイトの要件定義の質も上げ、「あなたに言われるまで、架空サイトだとわからなかったよ」なんて面接官に言わせてしまえば、もう良い結果が出るのは間違いないでしょう。

「勝手にリニューアル」をやってみよう

架空サイトの問題点は、作り手が画面に入れる要素であったり、方向性を、自分が作りやすいように決められる事です。そこで、「架空サイト作り」以外で、考えついた練習法が**「勝手にリニューアル」という方法**です。

　これは、僕がある時期に実際にやっていた練習法ですが、例えばＳＯＮＹやマクドナルド、スープストックトーキョー、（何でも良いですが）既存のサイトで、プロが仕事で作ったネット上にある公式サイトを、**「勝手にリニューアル」（するつもりで）自分なりにデザインし直してしまうという練習法です。**

　基本は、既存サイトのデザインを基にし、画面要素や掲載するテキスト、想定されるターゲット層など、要件定義を既存サイトから借りて作ります。もちろん、これは、就職・転職活動用のポートフォリオのために作るだけで**他の場では一切公開しません。**

「架空サイト作り」の作り手側の問題点として、ターゲットを決めていくなど、要件定義の段階で苦労してしまい、デザインを作る前にヘトヘトになってしまう事も挙げられます。これでは本末転倒ですし、**実際の案件制作をしていない人間が、ペルソナなどを細かく決めたとしても、どうしても説得力がない「絵空事」になりかねません。**

　それなら、要件定義などは既存サイトよりお借りして、さっさとデザインを作ってしまうほうが、早くポートフォリオが完成します。

基にするデザインが、例えば、TOYOTAのサイトデザインなら、コンセプトは、ざっくり「車の未来と可能性を伝えようとしているなあ」とか、既存サイトを見ての自分なりの想像で構いませんので設定して、それに沿って作ってみます。

画面に入れる要素も、ここに「News」がきて、ここで様々なカテゴリの車が選べるようになっているな、などと基のサイトを参考にしてみます。いうなれば、既存サイトの要素はそのまま使わせてもらい、ワイヤー設計を自分で起こして、それを基にデザインしてしまう感じです。

これは、基のサイトをA案とするなら、A案よりクオリティの高いB案を作る勢いで、デザインの意匠や見せ方を自分なりに変えて、リニューアルデザインを作る、という練習法です。

「勝手にリニューアル」という名前は、僕が（勝手に）つけた名称ですし、メルマガやブログなどで触れた事もないので、ほとんどこの本での紹介が初めてといって良いでしょう。

半ば、ゲームのように、プロが作った公式サイトのデザインを勝手にリニューアルし、それよりも良いデザインを作ってしまうくらいの思いで **「自分ならこうデザイン**

する」と、違うアプローチを考え抜いてみたり、その練習過程で既存サイトの考え方やコンセプトの奥深さに気づいたりと、模写をするのとは段違いにレベルの高い練習法になるので、一度やってみて損はないでしょう。

もちろん、この**「勝手にリニューアル」で作った作品は、SNSなどにアップしたり、Webポートフォリオにも（基本認証で保護しようが）上げてはなりません。著作権法的にも、モラル的にも、絶対NGです。**

載せるのであれば、冊子版ポートフォリオだけとし、自分の手元にしか存在しないようにしてください。つまりは基のデザイン設計があるという意味でいえば**「模写」と同じ扱いで、あくまでも個人の習作**であり、あなた自身の作品ではないという認識を忘れないでいただきたいと思います。誰かに見せる時はそこのあたりの説明も最初に必要です（忘れていた……ではすまない話です）。

僕の場合は、アパレルからWebデザインへとキャリアシフトをした時に、早く「Webデザインの型」に、慣れたい気持ちで、この練習法を自然にやり始めていました。

有名サイトのデザインを見ながら「自分ならこうするな」とか「B案を用意するな

らこんなデザインかな」という考え方も含め、意匠作りのクオリティを上げる作業を数多く独学で練習しました。僕にとってこの方法は、**自分の成長を促すうえでとてもプラスになった**と記憶しています。

そもそも、架空サイトといえども、サイト全体をイメージした要件定義・画面要素の設定などは、それなりに難易度が高い仕事であって、Ｗｅｂデザインの仕事をまだ経験していない自分が作る事には違和感しか感じていませんでした。

特に、面接の際に採用側にお見せするポートフォリオであれば、そんなに悠長に時間をかけていられないので**「勝手にリニューアル」のやり方でどんどん作品を作っていく事も、アリ**だと思います。

僕も、この「勝手にリニューアル」で作った作品を、面接時に持っていき「**お見せ出来る作品がないと、自分のデザインスキルや、Photoshopの習熟度もお伝え出来ないですし、**架空サイトの要件定義を考えている時間が無駄で、採用の判断材料としての作品を一つでもお見せしたかったので、この方法で作品を作ってきました」と伝えて、普通に見てもらってました。

大抵は「なるほど、よく考えましたね」と好意的な印象を持っていただけた会社が多かったと思います。

もちろん、採用側は、ただ面白がっているわけではなく、「この人に、ワイヤーデザインを渡したら、ここまでデザイン出来るという事か。それなら、**少し教えれば、メインを任せられるデザイナーにまでなれるかも**」とか、一緒に働くイメージを膨らませているはずですから、自分好みに仕上げてきて、偏ったジャンルの架空サイトデザインばかり持ってくる人よりは、評価される可能性が高いと思います。

未経験の方で、ポートフォリオを埋めるのに、なかなか苦心している方や「架空サイト作りの要件定義の創作」にうんざりしている方は、「勝手にリニューアル」を試してみても、面白いと思います。

ただ、くどいようですが、これは、**どんなに上手く出来ても、あなたのオリジナル作品ではありません。**「習作」である、という意識を持ち、面接時に持参するポートフォリオにだけ入れ、採用面接側に預ける事も（先方に言われたとしても）、お断りしましょう。

あらかじめ、「勝手にリニューアル」で作った作品や模写作品などは「習作ポートフォリオ」として、別のクリアファイルにまとめ、万一提出を求められても、理由を説明して提出しないようにすると安全かもしれません。

ＳＮＳなどを見ていると、**モラルの面や著作権の面を完全に無視するような事を、正しいように発信している人を多く見かけます。**この「勝手にリニューアル」のアイデアも、採用担当に本意を説明出来る事が必須条件と考えてください。著作権の大切さ、基の作り手への敬意、モラルの部分を理解している事を採用側に、さりげなく、しかし十分に伝わるよう、説明してください。

どこからどこまでが「習作」で、何を公開してはいけないか、会社側に不安を感じさせてしまうと、スキルがあっても採用されないかと思います。

雇ってみたけど、載せてはいけない写真を無断で使ってしまうなどの、大きな問題に発展する可能性もあるし、そんな基本的な事を社員に教育する時間などはないというのが会社側の本音でもあるからです。**モラルであったり著作権の最低限の知識も「スキル」の一つ**と考えましょう。逆に、応募者全体のモラルであったり著作権の知識が下がっているなら、普通にここのあたりをクリアしているだけでも評価の対象になるかもしれません。

実案件を作ってしまう方法

最後に、**「勝手にリニューアル」よりも、より実案件に近い作品の作り方**をご紹介します。これは、一見「そんな無茶な」と思われるくらいレベルが高いようでいて、一番手っ取り早い方法かもしれません。

それは、自分で実際にWebサイト制作のお仕事を取ってきて、サイトを丸々作ってしまい、仕事の実績としてポートフォリオに掲載するという方法です。

「実案件に近いっていうか完全な受注案件じゃないか！」と怒る方もいるでしょう。その通りで、「それが出来たらフリーランスだよ」と突っ込みたくなるかもしれませんが、自分がWebデザインについて未経験だった時、一度だけやってみた事があります。

知り合いでWebサイトを作りたがっている人を探し、無料で作ってあげたのです。

実際、未経験ですしデザイン料は無料にしていたので、知り合いだったらなおさら、頼む方も頼まれる方も敷居が低くなります。

僕の場合は、原宿の「自然食レストラン」を経営しているマスターに、「無料でレストランのＷｅｂサイトを作らせて欲しい」と持ちかけました。

マスターとは、昔からの知り合いで、当時描いていたイラストを店内に飾ってもらったり、人生の後輩として可愛がってもらっていたという事もあり、快く作らせてもらう事が出来ました（もちろん自分がＷｅｂデザインについて未経験な事も事前に伝えたうえで作らせてもらっています）。

このやり方の良いところは、無料なので、初めは軽いノリのクライアント（僕の場合、レストランのマスター）が、最後のほうでは、**それなりにこだわりを持ったクライアントに変貌し、色々と要望を出し始めてくれる事**です。

そりゃあそうですよね。ネット上といえども、ホームページはそのお店の「顔」ともいえますから、「いいかげんなモノは作りたくない」と思うのが普通です。無料だという遠慮も少しはありますが、基本的に通常のクライアントとあまり変わらず、色々と意見してくれます。

これは「色々細かくてうるさいな。無料で作っているのに！」などと、思う事ではなく、むしろ「**しめしめ……。まるで本当のクライアントみたいに細かく注文を出してくれてるじゃないか！**」と思って、ありがたく向き合う事です。

僕の場合も、Ｗｅｂデザインは未経験だったので、最初はクオリティ低めで微妙なデザインとなってしまいました。

デザインを見て、「どんなものでも良いから」なんて言ってたマスターの顔色が変わった瞬間を今でも覚えています。「もうちょい……何とかならないか！」。会うたびに、他にも色々と言われました。

つまり、どんどん実案件の経験に近づいてきて、実際のお仕事をさせてもらってる感覚で、**学校では学べない多くの事を学びました**。

また、お金は戴いていないので、きついトラブルにはなりにくいのですが（ただ、対人間の話なんで）十分に誠意を尽くす姿勢が大事なのは当然の事です。

もし、作業が長引きそうでは……？　と心配でしたら、**最初に「未経験なので、一生懸命作って、希望通りにならなかった場合、〇回のやり直しまでの対応とさせてください」とお願いしておくと安心**かもしれません。

「未経験なのでお金を戴かずに実際のサイトを作らせてもらった」と、採用面接でお見せすると、**その行動力やクライアントとやりとりした経験**をかなり好意的に見てくれた経験があります。もちろん、最後は作品の出来で決まるにせよ、何としても採用側に評価してもらえるよう、**クライアントが存在する実案件**を作ってきた行動力や熱意は、響くのではないでしょうか。「ここまで一人でやってくる人なら、会社に入ればもっと成長出来るのでは？」と採用側に思わせれば、しめたものです。

「未経験者が面接に持っていくために何を作るか」という事については、なかなか難しくもあるので、僕なりに（採用側から見て）**評価される順**に整理してみました。

> ① 実際のサイト作りに挑戦する（知り合いに無料で）
> ② 「勝手にリニューアル」と称し、既存サイトの別案作りをする
> ③ 「架空サイト」を作る
> （※①については、トラブルを未然に防ぐためにも、特に信頼出来る方へのお願いにするよう、ご注意ください。）

これは決して「架空サイト作り」を否定しているわけではありません。何であろうと、**作品のパッと見てのクオリティが高ければ、「それだけで条件付きで採用」**なんて事もよくある事です。

①・②・③、それぞれの問題点も踏まえて、理解したうえで、面接に臨んでいただけたらと思います。

未経験者は作品がないので、何かを作らないとなりません。自分なりに**「何を作るか？」から工夫していく**ところから、就職・転職活動は、始まります。

「面倒」だと思って未経験からいきなりフリーランスになろう！　などと考えず、**制作会社に採用される事をプロの第一歩、一次試験**だと捉え、是非頑張ってください。

転職に活かせるポートフォリオの作り方

「デザイナーあるある」かもしれませんが、ポートフォリオを作りだすのは、転職活動などを始める時に慌てて用意するパターンが多い気がします。少なくとも、僕はそうでした（笑）。

でも、声を大にして言いたいのは、ポートフォリオは**「普段から作っておくべきもの」**という事です。また、すでに持っている人でも、新作を常に作って少しでも充実させるべく、アップデートしていきたいですね。

ポートフォリオを普段から作る事は、デザイナーにとってメリットしかありません。転職活動をするなら必須ですし、その予定がない場合でも**「自分の棚おろし」が出来ます。**

デザイナーの転職活動において「ポートフォリオ」の存在は非常に大きいものです。**採用を決めるのは、一にも二にもポートフォリオのクオリティ**だといえます。「人間性やコミュニケーション力が大事」という意見もその通りなのですが、それでもやはり**作品力が一番大事**、というのがデザイナー採用担当者の本音です。

いくら人間性が高くても満足にデザインを作れない（あるいはこれから作れるようになる可能性がない）人間を採用する制作会社はないと思います。

改めてですが、ノンデザイナーの方のために簡単にご説明すると、ポートフォリオとは**「デザイナーが今まで仕上げてきたデザインを一冊にまとめた自分の作品集**（実

績集）」のようなものです。

どこかの誰かが作ってくれるものではなく、デザイナー自身の手作りで、一枚ずつプリントアウトして一冊のクリアファイルに入れ、10枚〜20枚程度にまとめます。作るのは手間がかかるので面倒くさく感じてしまいますが、楽しんで作る事と、少しずつ作る事がコツです。

ポートフォリオは楽しんで作る

いきなり転職活動のリアルな事から書きますが、**働きながらの転職活動って「準備する時間」を確保するだけでも大変**ですよね。特にデザイナーの仕事は、まだまだ残業が多いところばかりでしょう。夜遅く帰ってからのポートフォリオ作りは、下手をすると寝る時間を削って作業する事にもなり、大変です。

ですから、まず心構えとして、**「ポートフォリオを作る事自体」を、とにかく楽しむ**ようにしましょう。「家へ帰ってからポートフォリオを作り始めるのが楽しみ！」というくらいにまで、気持ちを持っていければベストです。

そうでなければ、ポートフォリオ制作の段階で躓いてしまい、転職活動自体を始める事さえ出来ません。そうすると「転職するぞ」という思い自体がうやむやになり、1

年や2年はあっという間にたってしまうものです。

「ポートフォリオ作り」は確かに面倒かもしれませんが、デザイナーは、**ポートフォリオさえ素晴らしければ、十分採用されるチャンスがある**ので、他の業種に比べて実は恵まれているのではないかと思います。

僕もポートフォリオ作りに関しては、「自分のベスト10作品集を作ろう」とか「このポートフォリオを○○会社の面接官に見せて、クオリティの高さで驚かせてやろう」とか、自分のモチベーションを無理矢理にでも上げて、完成にまでこぎつけていました。実際、自分の作品集を作れるという事は、デザイナーなどの**クリエイターにしか味わえない特権**でもあります。

まずは完成させるためにも、ノリノリで気分良く作っていけるように、心がけたいものです。

一歩ずつコツコツ完成させる

残業続きで「ポートフォリオを作るやる気も気力もない……」という方は、スキマ時間を使いながら、不完全でも良いので、少しずつ作り始める事をおすすめします。試験勉強や仕事でも何でも、**やり始めるとやる気が出てくるもの**です。まずは一歩で良いので踏み出してみてください。

そして、5つ作品がある方なら、とりあえずその5つをまとめたポートフォリオを完成させて、自分でそれを眺めてみます。「作品数が足りないな〜。もう少し増やしてみたい」と、普通は嫌でも作る気が出てくると思います。

また**「作品が少なかろうが、とりあえず人に見せられる状態にしておく事」が、とても大事**です。

もしかしたら、そのタイミングであなたに転職のチャンスが訪れ、「何か作品や見せられるものを持って、明日来てくれ」と言われるかもしれません。採用担当者は一応プロですので、3枚程度の作品数でも、自分の会社に必要か否か？　の判断は、大抵は出来るものです（もちろん、沢山見たいですけど）。ここで「いや、まだ完成してなくて、見せられないです」と答えていたりすると、面白いものでそういうチャンスはしばらく来なかったりします。

ですから、初めからあまりストイックに「10枚揃わなければ、完成ではない！　途中の段階では誰にも見せない！」などと決めず、**いつでも見せられるように完成し、その完成度の円を段々大きくしていけばいいや、くらいに考えましょう。**

作品実績が5つだけのポートフォリオで少し物足りない感じでも、ポートフォリオをネット上でも見られる状態にしておけば、そのＵＲＬを相手にメールで送り、会う前にあらかじめ、見ておいてもらう事も可能です。

その間、あなたが仕事で身動きが取れなくても、作品が気に入られれば、書類選考を通過して面接の通知が来る事もあります。その面接日まで一週間ほど時間があれば一つくらいは、その会社向けの作品を追加する事も出来ます。そうしてブラッシュアップしたポートフォリオを面接に持っていく……なんて事も可能です。


ポートフォリオは**「人に見せられるかたちにしてなんぼ」**と肝に銘じ、いつでも見せられるようにしておきましょう。

またいつでも見れるようにしておく事で、自分自身で時々見返すようになり**「何か少しでもアップデート出来ないか？」**と気にするようになっていきます。何となくポートフォリオを見ているうちに、突然**「自分の欠点」**とか**「自分の足りない部分」**に気がつけたりすれば、それが積み重なっていく事で、いつの間にか、ポートフォリオを介して、自分のスキル自体を上げていく事も可能です。

そのためには、少しずつじわじわと一歩一歩で良いので、完成させていくよう心がけてください。

ポートフォリオはあなたの良さを伝えるツール

さて、ここまではマインドセットが中心でしたが、ここからもう少し具体的な話に入っていきましょう。とても大事な事を話したいと思います。

ポートフォリオは、あなたの見せたいところが最大限に伝わるように作っていただきたい、という事です。コレは何となくそういう心構えでという話ではなく、一つひとつの作業の中で具体的に心がけたい事です。

単純に「作品を大きく載せる」のは「作品」を一番見てもらいたいからです。「そんなの当たり前じゃない」と思われる方も多いでしょうが、最後の最後に見返してみると「あれ？　俺の渾身の作品ビジュアル、やけに小さいし、文章多いな！　読まないのでは？」なんて気がつく事は、よくある話で、ポートフォリオ作成の本来の目的が、就職・転職活動のための**デザイナーとしての自己紹介ツール**と考えれば、作品を一番大きいサイズにする事は、当たり前過ぎるくらい当たり前の事です。

でも、こういった当たり前の事が抜け落ちて、作品より文章が目立つポートフォリオも採用面接の場でよく見ます。

作っているうちに「あれ載せなきゃ！」とか「いやあのコンセプトも」となってしまい、**一番大切なビジュアルのスペースを削ってしまった**、なんてよくある事です。デザイナーあるあるとして、**自分の作品ビジュアルは**（**自分は**）**見慣れているので、小さ目にレイアウトしてしまう**、も多い気もします。採用担当は初めて見ますし、一番見たいものなので、**大きく配置する事を**肝に銘じたいですね。

就職・転職活動用に作るわけですから、ポートフォリオを見てもらって、あなたの作品実績やあなた自身の事がきちんと相手側（会社）に伝わって、最終的に「**あなたの事を採用したくてたまらない状態**」に持っていかなければなりません。そのため「**あなたの良さ・長所**」を、**ちゃんとアピール出来ているか？**「あなたが何をしてきた人間か」が伝わっているか？　一つひとつチェックしていくべきです。

伝わるポートフォリオの条件はいくつもあります。

ざっとですが、挙げてみましょう。

・作品は大きく見やすく表示されているか？
・あなたのプロジェクトでの役割が書かれているか？
（ディレクターかデザイナーか、アートディレクターか）
・あなたがそのプロジェクトのどの部分に貢献したか伝わっているか？
・プロジェクトで上手くいかなかった場合、反省点が述べられているか？
・それに対する（次は失敗しないための）対策は言えるか？
・習作も（見せられる完成度ならば）見てもらえるようファイルされているか？

これらについて、あなたがいちいち「これはこうだ」と説明しなくても、ポートフォリオを見た相手に一目で伝わるくらいになっているでしょうか。

ポートフォリオは、何の説明がなくても、それ自身で伝わるくらいに、仕上げる意識は必要だと思います。

また、「嘘をついてまで自分を大きく見せろ」とは言いませんが、わざわざ自分の苦手な部分とか、ネガティブな事は、自分から触れないで構いません。

ネガティブな情報より具体的な成果を

僕が採用面接官をさせてもらった時、少し感じたのは**「自分のネガティブな情報（上手くいかなかった・失敗したなど）を、聞いてもいないのに話す方が多いな」**という事です。

特に、失敗体験については「そこから学ぶべき事が多かった」など、自分のプラスになった事以外は、自分からわざわざ言わなくて良いです。

失敗事例など、質問されて答える場合にも、最初はヒアリング不足でクライアントが不満を訴える場面もあったけど、再度の（丁寧な）ヒアリングで、クライアントに大変満足してもらった事など、最終的には上手くいった事例を選んで話すようにしてください。とにかく、面接の場では、自分についての**否定的な情報を自分から言う必要はありません。**

よくあるのは、実際にはお客様には喜んでもらえていたというのに、具体的な成果の内容を作った本人が確認しておらず、**せっかくの成果に信憑性がなくなる事**です。これは非常にもったいない事ですので、ざっくりとした成果でも構いませんから、意識して、大体の数値や結果を確認しておくと良いでしょう。

おすすめなのは、それぞれの実績の備考として「この案件の成果」という欄を設けて、**出来るだけ数字などを入れて、客観的な成果としてポートフォリオ上に明記しておく事**です。ポートフォリオは「あなたの素晴らしさをアピールするプレゼンツール」ですから、極力、良い部分を探すマインドで作るようにしてください。

先に書いたように「楽しんでポートフォリオを作る事」を心がける事で、その楽しさや勢いがポートフォリオにも自然と表現され、ポートフォリオ全体が、何となく**ポジティブな印象を与えるもの**になっていると、なお、良いかなと思います。

かといってそれはあくまでも滲み出るもので、ポートフォリオの**「作品以外の部分、外観など」**は、特にこだわりを持って作り込んだりする必要はないと思います。

少し客観的な視点で見た時、そこだけ悪目立ちしてしまうような情報は、作品実績を伝えるうえでマイナスになります。**個人のこだわりは削るくらいで丁度良い**と思います。

まだ仕事での実績がない学生さんのポートフォリオであれば、その「外観の見え方も含めて、少し作り込むくらいで丁度良い」と言われる方もいます。面接官もそういう部分を承知でポートフォリオを見ますので否定もしません。

でも、転職用のポートフォリオでは**「面白いけどどれが作品なのだろう」**なんて思われるポートフォリオは、正直印象は良くありません。例外は、そのこだわりや仕かけ自体が、すべての人を唸らせるような高い完成度や驚きを持っている場合だけですが、作品をちゃんと見せる「正攻法」のポートフォリオのほうが、まず強いと思います。

「ポートフォリオの冊子自体が作品です！」と（ポートフォリオを）カバン仕様にし、面接官の前でカバンをいきなり開いて驚かせようとしている応募者を見た事があります。作品以外のところを作品にしてしまう、という狙いは面白いかもしれませんが、Ｗｅｂ制作会社にそれを作って持って行っても、**作ったものはやはり「カバン」というパッケージかプロダクトのデザインで、サイトデザインではない**ので、転職希望者にそれを見せられても、採用担当者も普通に戸惑うだけです。

面接官が見たいものは、「作品実績」なので、そこを見せれば良いんだ！　とシンプルに考え、ポートフォリオを作る事をおすすめします。

基本、ポートフォリオは自分の良さを見せるためのものであり、**見せる相手（採用面**

接担当）が知りたい情報を、短い時間の中で届けるためのプレゼンツール、という事です。**見る人の事を考え、「何が必要で何が不要か？」という問いを念頭に置いて、最大限の客観性を持って作り上げていきましょう**（これはまさに「デザインをお客様に届けるために何が必要か？」を考える事と同義です）。

デザイナーの転職が成功するかしないかは、ほとんどポートフォリオの完成度にかかっているといっても、過言ではありません。

転職に活かせるポートフォリオの作り方　その2

さて、ポートフォリオ作りについて、具体的に何をどう作るのか、考えていきましょう。

まず用意するポートフォリオは2種類あります。

A．プリントアウトしたポートフォリオ（冊子版）
B．Webのポートフォリオ（Web版）

どちらが必要かといえば、まあ2つとも大事です。用途が違うので転職活動の場面ごとに使い分ける感じですね。

それぞれの特徴を詳しくご説明していきます。

A．プリントアウトしたポートフォリオ（冊子版）

基本的に冊子版のポートフォリオは、目の前の採用担当の方に、みずからプレゼンしながら見せていく事を想定しています。ずばり、面接用です。

最近は、ノートＰＣが信じられないくらい軽くなり、タブレットもＰＣ並みに高性能なので、面接でデバイス上の作品を見せる方もいるでしょう。日常的にもタブレットで写真を見せながら話をする、なんて場面も見かけますし、それはそれでありなのかもしれません。

しかし、やっぱり**面接では、アナログなかたちでのポートフォリオを一冊、予備として用意するようにしましょう。**

面接はやり直しのきかない舞台のようなものです。そんな時にデジタルデバイスの電源が落ちて、何も映らなくなり、すべて台無し……なんて事は結構ありえるのです。例えば、ローカルではなく、何らかのかたちでクラウド上に作品を置いている場合、Wi-Fiがつながっていなければ、見れなかったりしますよね。

僕も恥ずかしながら、ポケットWi-Fiを持ってるから大丈夫だと油断していたら、なぜか面接の時だけWi-Fiの調子が悪く、ネットにつながらなかった経験があります。

また、作品をタブレットで見せるにしても、予備として、**冊子版のポートフォリオを持っていくのは、採用担当者に対する、礼儀かもしれません。**まったく無駄な時間になる恐れがありますから。

友人の場合なら「ごめん、ちょっと待っててね」で済みますが、面接の場であるとそうはいかないものです。ポケットWi-Fiの調子が悪く、見せたい作品がいつもより遅く表示されるだけで、見せる側が完全に浮足立ってしまい、いつもの説明が出来ないなら、それだけで非常にもったいない事ですよね。

僕の友人が実際にやってしまった失敗談ですが、ネットにつながらなくなった事に慌てて、出されたコーヒーをこぼしてしまい、コントのような大騒ぎの面接になった例もあります。

基本、普通の面接官の方なら、デジタルデバイスの不備で多少表示などが遅くなっても待ってくれるでしょうし「慌てないでいいよ」くらい言ってくださる方もいますが、稀にですが、そういう所作や準備の部分まで見ている鋭い採用担当の方もいたりします。

それに、基本は初対面の方にプレゼンするので、自分自身が、何があっても冷静にプレゼン出来るようシミュレーションして、整えておく必要があります。起こりうるトラブルを思いつくままあげてみると、デジタルに頼りすぎると危険な事もわかるはずです。**面接では冊子版のポートフォリオを、必ず、持っていくようにしてください。**

B．Webのポートフォリオ(Web版)

これは、書類選考時、あなたが先方に、直接会えない時に威力を発揮します。

ネット上に自分のポートフォリオがある事は、さらに意味がある事かもしれません。メール一本で、**URLさえ書いておけば、とりあえずあなたの作品を会社側も見る事が出来る**からです。

Webのポートフォリオサイトが、自分がいないところで勝手に転職活動をしてくれるなんて、20年前からしたら夢のような事かもしれません。しかし逆を言えば、今転職活動をしているライバルの多くが同じようにサイトを作り、あなたの希望する会社にアタックしているかもしれません。なので、**ネット上のポートフォリオサイトも冊子版のポートフォリオ同様に必須**となります。少し面倒ですがきちんと作りましょう。

就職・転職活動は時間との勝負で、あなたのほうがスキルもあってマッチングしている会社であっても、採用枠が一人しかなく、一足前に誰かが採用されてしまえば、そこで基本的には採用枠はなくなるわけです。

ちなみに僕は何度も転職しているのですが、先方が書類選考の時点でWebのポートフォリオを気に入ってくれた事で、最終面接の前に僕の採用がほとんど決まっていたという、いわゆる「必勝パターン」を何度か経験しました。**採用側も、作品を先に見ている安心感もあるので、双方にとってメリットしかありません。**

昔に比べると、WordPressを使い、画像を中心としたポートフォリオをWeb上に開設する人が増えています。僕自身も、転職活動の時にガンガン使いました。転職サイトや書類提出の流れについても、今はWeb中心の採用フローですので、Webデザイナーに限らず**どんなジャンルのデザイナーであれ、**Web版ポートフォリオがない人はスムーズに転職活動を行う事が難しいかもしれません。

言うまでもないですが、サイトには基本認証をかけて、パスワードがないと見られないようにする事は必須です、ご注意ください（常識的な事ですが、一応書いておきます）。

また、Webデザイナーの方は、WordPressの知識くらいは手に入れておくと良いでしょう。PHPでWordPressを作りなさい、というのではなく、最低限、プラグインの探し方や設置方法、大体の構造を覚える事をおすすめします。

ただ、WordPressは掘り下げれば無限に追求出来るものなので、まずはデザインを見せる事だけを考え、自分で一からWordPressサイトを作るまではしないで良いかと思います。

就職活動では、**採用側と会う前に、先方の中でほぼ採用が決まっている、あるいは採用枠の最有力候補になっている事が「理想」であり、「必勝パターン」**です。このパターンに持ち込むと採用につながる可能性はぐんと高まりますし、むしろ、そうなる事を狙って準備をする事をおすすめします。

ポートフォリオの中で何を伝えるか？

デザイナーの採用可否を決めるのに、**一番重きを置かれるのは作品のクオリティ**なので、デザイン作品のビジュアルを中心に構成するのは、当然ですが、**最低限の作品説明文は必要**です。ただ、この文字での説明を長々と書いてしまったり、凝ってしまう事も逆効果です。「最低限」で良いと心得ましょう。短くまとめる事も一つのスキルです。

また、基本的には「冊子版とＷｅｂ版」で紹介する文章内容は同じで構いません。作品に対するキャプション項目も説明文についても、採用担当の方が知りたい事を、どちらのポートフォリオにも書けば良いと思います。

もし、**あなたの作ったＷｅｂサイトデザインが公開されているなら、それぞれＵＲＬを記載しておく事も忘れないようにしましょう。**

そして、次に挙げる1〜6のキャプションは、作品ごとに基本的に入れた方が良い内容ですので、必須とは言いませんが参考にしてみてください。

それぞれ伝えたい内容すべてを網羅する必要はありません。それぞれ一文で簡潔に書いておいて、面接で詳しくご自身で語れば良いと思います。

1. 何の業務を担当したのか？（担当範囲）
2. クライアントからの要望と課題（改善点）
3. 要望・課題に対しての取り組み（プラスそのポイント）
4. 制作時間
5. 成果
6. 特に印象的だった事、学びになった事

それぞれの項目を簡単にご説明します。

1. 何の業務を担当したのか？（担当範囲）

ここはすごく大切です。デザインという業務のみの担当か、あるいはアートディレクションなども兼務したのか、コーディング作業もしたのであればそこも伝えたいですね。

意外なようですが、様々な業務を兼務されているのに、その事をきちんと明記されない方って結構いらっしゃいます。すごくもったいない事でもあり、僕などが採用面接官をさせてもらった時には、「何の業務を経験しましたか?」と忘れないよう確認していましたが、すべての面接官が必ず質問してくれるとは限りません。

いくつもの業務が出来る事は、ウリでもあるので自分からアピールするようにしましょう。ここの担当範囲は広ければ広いほど良いともいえますが、やはり、正直な事を書きましょう。嘘まではいかないにしろ「盛りたくなる気持ち」も、すごくわかりますが、相手に対して失礼なのはもちろん、**出来ない事も出来ると書けば、採用された時に出来るものとして期待され、結局きつくなるのは自分ですから。**

僕が面接した方で（少しイレギュラーなケースかもしれませんが）、出来る業務をあえて面接で言わなかった、という人もいます。

面接時に「デザイナー経験しかない」ときっぱり言っていましたが、採用が決まって、1年くらい経ち、すっかり友人として打ち解けた後に、こっそり打ち明けられました。

実はディレクター経験もあったらしいのですが、元々、前の会社でデザイン業務に集中したいのに、ディレクター兼務を求められたのが不満で、転職の道を選んだらしいので、転職した後にまたディレクション業務を担当させられるのは本末転倒と、あえて言わなかったとの事でした。

出来る業務を、あえて伝えない事はその方の自由ですが、簡単に正解ともいえない部分もあります。

彼の場合は、彼のデザインそのもののクオリティが素晴らしく、問題なく採用されたわけですが、もし、採用出来る人数枠が1名で、当確上に彼の他にもう一人「デザイナーとして同等の実力を持ち、ディレクター経験も豊富」という方がいれば、総合力で判断し、彼は採用に至らなかったかもしれません。

とにかく採用される事が第一であり、それが正解であるなら、彼の選択は間違い、という事になるでしょうけど、「デザイナー業務に専念したい！」という思いが「転職活動の目的」と言えるくらい強ければ「デザイン業務しか経験していない」と申告したのは間違いではないわけです。

これは、**個々人の人生観によって答えも変わる**でしょうから、どれが正解ともいえず、自分自身で、最終的には**「自分が何を最優先させたいか？」を正しく知る事が、自分にとっての正解を探し出す最良の方法**でしょう。

2. クライアントからの要望と課題（改善点）

新規でのサイト作成であろうと、リニューアルであろうと、クライアントからの要望や課題があるはずですので、それをまず記します。**デザインの出発点はクライアントで、クライアントの課題・要望がスタート地点**なのでそこを書き、デザイナーとしてどのように応えたか？　も明記しましょう。

ただし、（他の項目でも同じですが）簡潔に書く事が大切です。

例えば、レンタカーサイトのリニューアル案件であれば、次のようにします。

「現状Webサイトからの予約数が、クライアントの期待する数より少ないため、それを改善すべくサイトリニューアルを依頼された。具体的な改善点としては、予約完了までのステップ数（ページ遷移数）が多い事。また、根本的なレンタカーライフのワクワク感が足りていない事である。」

この程度で十分です。「簡潔に」と書きましたが、**多少長くなっても、内容に「説得力」あれば、構わない**かなと思います。

一番、採用側に伝わって欲しいのは**「あなたというデザイナーが、クライアントか**

らの要望や、現状の課題点を正しく理解し、それに対し、デザインで問題解決を試みている」という事です。

3．要望・課題に対しての取り組み（プラスそのポイント）

その要望や課題に対して成果を出すために、あなた（やあなたのチームが）が工夫したポイントがあるはずです。それを書きましょう。

例えば、先のレンタカーサイトであれば、「予約に至るまでのステップが多過ぎるという課題があったので、**クリック数が少なくなるように、〇〇と〇〇を削った**。また、レンタカーライフの楽しさ、車の楽しさを伝えられるような企画ページを、1ヶ月に一回、更新する事を提案し、採用された……」など、**工夫したポイント・改善点を書ければ良い**と思います。

注意したいのは、**文章を短く、最小限にまとめるようにする事**です（イメージとしては2～3行程度です）。

ただ、詳しくどんな事を改善したか？　については、すべて説明出来るように、心の中で準備していきましょう。

その案件のデザインで、あなたが一番気をつけたところ、苦労したところ、そして興味深かったところを説明出来るように準備していきます。

例えば、先の課題の一つ「レンタカーライフのワクワク感が足りていない事」を改善するため、企画ページを提案した、と書きましたが、ここなど、これを読んだ面接官から「どんな企画ページを提案したの？」なんて、質問が飛びそうですね。

それに対して、必要ならデザインのビジュアルを見せながら、「レンタカーを借りる場面って、例えば友人や家族とともに楽しむ時が多くて、本来、人生のすごく楽しい一場面なわけです。**そういう、そもそものワクワク感を伝えられるように**、『今回は子どもが主役の家族旅行』『次回は大人だけの車の楽しみ方を！』と、毎回テーマを変え、独立した連載企画として考えました」など、思う存分に説明します。

「サイト全体の（デザイン）レギュレーションから、良い意味ではみ出すように、本でいえばコラムページみたいな存在にしようとしました」など、話して説明する時は多少長くても良いので、成功例を基にして、例えばこの場合では**「デザインだけでなく企画提案も出来ます」と正しく、あなた自身のスキルまでアピール出来るように**、話をしましょう（ただし、キャプションの文章は短くまとめて記します）。

伝え方には、一定の謙虚さは必要ですが、採用面接は**「自分が出来る事をアピール**

して**伝える場**」ですので、出来る事は抜けなく伝えられるように準備しましょう。良い事ばかりでなく、失敗してしまった事も、**その理由を整理して振り返れているなら、プラスのポイントとして評価される事が多い**です。

少し、コツのようなものがあるとしたら、マイナスに思える経験も今後に活かしていけるだけ、ちゃんと**原因を探って血肉化している事をアピールする**感じでしょうか。そのためにはちゃんと自分の中で、どうすれば上手くいったのか？　結論を出しておく事だと思います。

僕などは、説明したいポイントは面接用にメモって準備します。完璧にすべて文章にする必要はなく「**一番大切なポイント**」だけ自分にだけわかる単語で書き殴っても構いません。どうせ、会話は出たところ勝負な面もあるので「これだけは言いたいな」という事だけ言い忘れないようにすれば、段々上手く喋れるようになります。

また、日々真摯にデザイン制作をしているデザイナーであれば、ポートフォリオを開いて、それぞれの作品を見せながら少し喋れば、当時工夫した事などを思い出してきて、途中で止められるくらいに話せるはずです。

少し面接経験を積むと、ポートフォリオに載せる簡潔な文章の中に、採用担当の方から、思わず質問したくなるような事例などを、上手く挿入出来るようになってきたりして、自然に会話につながっていきます。

ここのあたりも、実際のデザインプレゼンとも、結構似ているかもしれません。

4. 制作時間

これは案件の制作期間ではなく、あくまでも**「自分がどの作業にどれくらい時間がかかったか？」を明快に答える**ようにしましょう。

それぞれのデザインを見せながら、「これについては大体〇日かかり、(例えば)このバナーでしたら何時間で大体出来ます」など、自分が見せるデザインすべてに対して、制作にかかった時間を答えられるようにしておきましょう。

もちろん、短いほうが良いですが、採用された場合、そのスピードで作る事を求められるのは当然ですので、**出来る時間を素直にお伝えしましょう。**


制作時間については、いきなり聞かれても結構答えられなかったりしますので、**自分が作ったものを基に、おおよその時間を出しておくべき**です。

稀に、案件全体にかかった期間を聞かれる時もありますが、こちらも何ヶ月で仕上げた案件だったか？　程度は答えられるようにしておきましょう（案件全体の進行もある程度把握している必要があるのは、将来ディレクター的な仕事も出来そうか？　というところも見ている面接官もたまにいるためです）。

5．成果

繰り返し書いているように、ＥＣサイトであれば、「リニューアル後に何％サイトからの売り上げがアップしたか？　ＬＰ（ランディングページ）サイトであれば、ページ下までどれくらいのユーザーが読んで、どれくらい離脱したか？」ざっくりとでも良いので、**具体的な数字を上げて、成果をお伝えすると良い**と思います。

「お客様の評判がとても良いです」などと伝えるよりも、**「お客様の評判がとても良いので、別案件の依頼も戴いた。その仕事自体は、小さいものだったけど、次のお仕事につながっていく感覚が嬉しかった」**など、正直に感じた事も踏まえて、詳細を伝えるとリアリティのある情報として伝わっていくのでさらに良いかと思います。

ただ、このあたりも、ポートフォリオ上には簡潔に記載し、面接時に深堀りして話せれば良いでしょう。

日頃から「自分が関わったデザインが**どんな成果を上げられたのか？」には敏感になる癖をつけ、次のデザインではこういう成果を上げたいと考えるようになれば、自然にそれを伝えられるようになります。**

6．特に印象的だった事、学びになった事

こちらは3．と似ていますし、特になければないでも良いのですが、何か**自分のキャリアで初めての経験をして、学びになった事などがあれば、書いておきましょう。**すべての案件に入れなくても良いと思います。

例えば、「500ページ強の大規模なサイトリニューアルのため、長期間に亘り段階的なリニューアルとなり、（デザイナーとして）スケジュール管理の重要性に改めて気がついた」等でしょうか。これは実感として「今まで知らなかったけど思い知った」くらいのレベルの話のみとしましょう。

なのですべての案件ではなく、特に印象強い案件のみに限った記載でも構いません。単に**「印象的だった」に終わらずに、「自分の成長」につながったと思える事象**を書くと、面接時に話も広がりやすく、アピールになります。

採用側も「応募者は何を大切に考えているデザイナーなのか、自分の経験から成長出来る糧を探せる人間か」など、知りたいはずなので、**何か一つでも良いので、学びになった実例**を説明出来るように、準備しておく事をおすすめします。

作品ごとに明記しておきたい項目をご説明しました。当然ですが、ご自分でアレンジして文章量を少なくしてみたり、逆に一部の項目は少し詳しく書いてみたり、色々とやってみてください。

この部分も冊子版とＷｅｂ版は、基本的に同じ内容を説明すれば良いです。

ここまで網羅すれば書き過ぎなくらいですが、一つ付け足すと**「弊社で働きたい理由を教えてください」**と聞かれる事がよくあります。「なぜ応募してくれたんですか?」という質問から面談に入る面接官もいますので、この質問には答えられるように、それぞれの会社ごとにその理由を用意してください。

「Ｗｅｂ制作会社であればどこでも良いかと思いました」などとは口が裂けても言わないように（笑）。

まず**応募した会社を「知る」事が大事**で、出来ればその会社がなぜ創業されたのか?から一通り調べて面接を受けるのが礼儀かもしれません（また詳しく調べていくと、会社側からは喜ばれるものです。それで面接が有利に運ぶわけでもありませんが、先方に媚びずに喜ばれる事をしていく姿勢は必要かもしれません)。

面接官と上手く話せるか？　不安に思う方もいらっしゃると思いますが、これはもう場数を踏むしかありません。何回か面接で話していく中で**(複数の会社で)共通して興味を持たれるポイント**など、わかってきたりすると、何を話すと喜ばれるか？　なども掴めてきて喋るのも上手くなるものです。話の着地点だけ、ざっくりと決め、あまり緊張し過ぎないで話せれば大丈夫でしょう。

転職活動で何社か面接まで経験すると、段々と作品の見せ方・アピールの仕方など、わかってくるものです。その都度、**前回の面接を踏まえて自分をブラッシュアップし**ていってください。

「ポートフォリオに載せる文章量について、どれくらいが妥当か？」と数人の採用担当経験者に聞いた事ありますが、「短ければ短いほうが」という意見が多く**「文章は一切なくても良い」と仰っている方もいた**くらいです。

極論のようですが、エンドユーザー＝採用担当者、とイメージするなら筋が通っています。なぜなら**エンドユーザーもデザインに対しての説明など聞けないわけ**ですから。**「デザインだけで伝わるポートフォリオを目指す」**で正しいと思いますし、現実的には数行の説明文は入るでしょうが、それくらいの気概を持って作っていきましょう。

面接時、どれだけ喋れば良いか？　については、一般的にはあまりぐいぐいと自分から喋らないで良いと思います。

面接官もプロなので作品を見ただけでもある程度判断出来ますし、**自分からあまり積極的に説明し過ぎず「最低限の説明だけして、質問を待つ」**くらいで、丁度良いかもしれません。

僕も採用担当をさせてもらった経験がありますが、面接時に見せてもらう冊子版のポートフォリオであれば、その場で聞きたい事があれば応募者に聞けますので、作品と最低限の情報が書かれた文章を見せていただくだけで、**（応募して下さった方の）採用決定まで正しく判断出来る、**と思っています。流暢な作品説明が出来なくても作品が良ければ採用されるはずです。

例えば、緊張のあまり押し黙ってしまった方がいらっしゃっても（もちろん、やる気がないと思われる危険性もあるのでおすすめしませんが）、面接官の方で確認したい事がはっきりしていたら質問出来るはずです（少なくともまともな会社でしたら、そのスキルを持った人間が選ばれます）。

面接は確かに緊張するでしょうが、一生懸命になって準備したなら、最後の最後は、**時間通りにその場へ行けさえすれば、何とかなる！**　くらいの気持ちで立ち向かってください。

僕も何度か、採用面接を経験してからは**「遅刻だけはするな、時間通りにその場にいれば、今までの経験で何とかなるさ」**と自分で自分に言い聞かせていました。当然過ぎる事ですので触れてきませんでしたが、「遅刻」だけは絶対にしないようにしましょう。僕はすごい方向音痴で、まったく違う方向に行ってしまう事があり、その時から必ず前日に、面接させていただく会社に行ってみて、場所はもちろん、そこまでかかる時間を確かめるようにしていました。

「作品が一番大事」と書きましたが、遅刻してそれ含めてすべてダメになった経験は恥ずかしながらあります。皆さんも、そこだけは注意してください（せっかく書類選考まで通ったのに、そんな事で落ちたら、もったいなさ過ぎますから）。

コラム

病院のデザイン

13年前、僕は心臓の手術をしました。「僧帽弁閉鎖不全症《そうぼうべんへいさふぜんしょう》」という心臓の弁の病気の一種で、会社の健康診断でその病気の兆候が見つかってから10年近く病気と付き合ってきたのですが、少しずつ息切れ・不整脈が起きるようになってしまい、思い切って手術をする事に決めました。大きな人生の転機ともいえる出来事でした。

僕の場合、検査で発見されてから定期的に診察を受け経過を見ていたので、突然倒れて救急車で運ばれたという緊急の手術などではなく比較的安全なものでした。

しかし全身麻酔をかけ人工心肺につなぎ、2時間近く、僕の心臓は完全に止まりましたので、間違いなく今まで生きてきた中で、一番、死に近づいてしまった状態でしょう。当然のごとく体力的にもほとんどない状態まで落ち込みました。

そんな状態ではありましたが、頭はそれなりにクリアでＩＣＵを出てからは「今の自分のようなギリギリの状態の人間に対してデザインは何が出来るのか」なんて事ばかり考えていたものです。こういう特殊な環境下でデザインについて感じたもろもろの事を書かせてもらいます。

＊

さて、少し時間を戻して、検査で心臓病が見つかったところまで遡ります。

「どうも最終的に外科手術が必要になりそう」とわかったので、どの病院で誰に手術してもらうか？　探し始めました。病院を4ヶ所か5ヶ所見て回った後、ようやく僕は自分の心臓を任せる病院を決める事が出来ましたが、決定打はもちろん手術していただく医師とチームの実力です。年間に何回心臓手術をしている病院なのか、執刀医の評判など、普段ズボラな僕ですが自分の生命がかかってるので、かなり詳しく調べ上げました。

外科医のスキルを測るために、手術経験回数は多いほど良いと思いました。やはり、評判が良い医師や病院は手術数が多く、年間で300回以上の手術数はザラです。一日に2回手術している病院もあって（デザイナーではないですが）量こそ質を生むんだな、と妙に納得した覚えがあります。

そしてこだわったのは、「とにかく自分の心臓を手術して下さる外科医の先生から、リスクや後遺症はなく、治るのか？　などしっかり説明をしていただけるか」という事です。執刀医と面談出来ないような病院は、自分としては絶対NGでした（大学病院でも執刀医が病院の都合で変わってしまう事は結構あるようで、それについても注意しました）。

僕が手術を決めたのは、東京の病院ではなく、東京近郊にある心臓病に特化している病院でした。心臓病以外の患者さんは入院していません。その病院のI先生は、外科手術の執刀医であり、その病院の院長でもありました。いわゆる「ゴッドハンド」と呼ばれるような外科医でしたが、外科医としての腕の良さだけでなく患者の話を聞いてくれると評判の方でした。

内科の先生に診ていただき、色々な検査もした後、I先生は2時間近く時間をとって僕を診察し、手術についても詳しく説明してくれました。僕の場合は難しい症例だという事も隠さずに話してくれ、その物腰の柔らかさと同時に「絶対に自分が治せる」という「自信」が先生の中には同居してると感じられ、この人に手術してもらいたいと心から感じる事が出来ました。

後から考えると、この時の自分は、デザイナーに初めてお仕事を依頼してくれるクライアントさんとまったく同じだったなと思います。心臓病なんて初めて、専門的な事はほとんどわからない、そんな人が何を基準に執刀医（デザイナー）を選ぶかといえば、「実績」や「経験数」「素人にもわかりやすく説明が出来るスキル」だと思います。

この事も後から振り返ると学びになりました。究極のヒアリングは診察かもしれません。

*

もう一つ、執刀医の実力以外で、密かに、僕が注目していたポイントがあります。

僕が注意して見ていたポイント、それは「病院のデザイン」です。もちろんいくら僕がデザインバカだといっても、病院のデザインの素晴らしさだけで、執刀医を決めようとはしていません。先生の実力を一番に考えてお願いをしています。

しかし、どうしても、デザインに目がいってしまった事も事実で、その病院の温かいデザインに一目で、心惹かれてしまいました。後で知ったのですが、実は、病院そのものがグッドデザイン賞を受賞していて、病院という建築デザイン、インテリアもまるごと、一つのデザインとして評価を受けていたようでした。

僕はここの病院に2週間と少しだけ入院させてもらいました。

H病院の第一印象は、病院らしくない病院で、一番特徴的なところは、可能な限り素材に「木」を使っているというところです。

エントランスが吹き抜けになっていて、天井にはシャンデリアがありましたが、電球以外はシャンデリアも木の素材で出来ていて徹底していますし、病院建築においての確固たる「デザインのコンセプト」が感じられました。

そしてほぼ「暖色」のみの色彩設計がされてる事から色彩についてもよく考えられてます。病院のテーマ色なのか、彩度が高い「黄色」が院内のソファや階段、ポイントになる柱などに使われていて、どうしても手術の事などを心配してしまい、不安な気持ちに支配されがちな患者を励ましてくれるようでした。

驚いたのは、手術の後、一度だけ乗った車椅子さえも「鮮やかな黄色」に統一されていた事です。この車椅子に乗った時は、手術後の検査結果を初めて聞きに行く時だったので内心ドキドキしていましたが、それでも、乗った瞬間に、ディズニーランドのアトラクションの椅子に座るかのように、ワクワクする気持ちを感じ、少し嬉しくなったのですね。

シンプルに「鮮やかな黄色が、すごく可愛いな〜」って思えたわけです。まあ、僕のデザインバカという性癖を差し引いても、グレーの冷たい色の車椅子よりも、どんな方が座っても気持ちが安らぐように思いました。

＊

僕は入院している時、一日中院内にいましたので、すぐにこの、ただならぬ色彩設計に気がつき、写真をばんばん撮っていました。

見舞いに来てくれた友人達は「この病院って何か病院らしくないよね」と、居心地良さそうにしていて、なかなか帰ろうとしませんでした。健康な人達にも病院の魅力は、十分に伝わってるように思いました。

この病院では、青色などの寒色系の色は見当たらず、床の色やトイレまで、すべて優しい暖色が使われています。ただ一つ見える青色は、窓から見える海の色だけで、そのコントラストまで計算されてるようでした。

そう、立地から建築デザインはすでに始まっています。この病院は、もともと、海が見える場所を探して建てられていたのです。

少し詳しく、H病院のコンセプトについて触れていきます。

＊

そのコンセプトは病院ロゴにしっかりと表現されていましたが、コンセプトについて説明してくれたのは、まだ10代かというくらいに若々しい看護師の方で、何気なくロゴの由来について聞いた僕に、少し誇らし気に、彼女はこう説明してくれました。

「赤いハートと青いハートが重なるこのロゴは、一つは患者さんの（病としての）『傷ついた心臓』です。もう一つは『傷ついた患者さんの心（ハート）』です。私達は心臓だけでなく、自分の心臓が、心配で仕方がない患者さんの心も治したいのです」

初めての心臓手術にそれなりにダメージを受けていた僕の心は、その言葉だけで随分と癒されたばかりでなく、恥ずかしながら少し泣きそうになりました。

そして、彼女は、多分この病院のコンセプトを先輩か婦長か院長から教わったに違いないのですが、まるで自分で考えて言葉を選んだように「彼女の言葉」として、ダイレクトに僕に響いてきたのです。

多分、彼女自身、このコンセプトに感動し共感して、日々患者さんに向き合っているのでしょう。まさに、考えられたデザインは人を変える力があるという良い例です。

この病院は海外にある、先進的な心臓専門の病院をモデルに作られています。現在はいらっしゃいませんが、とても高名な心臓外科医の先生が立ち上げから参加していた事でも知られています。

その精神は、病院自体のデザインにも徹底されていて、まるでどこよりも安らげるホテルのような場所でした。入院している患者が、一人きりで眠れない夜にも、病院の色と木の質感が患者を包んで、励ましてくれる気さえするのです。

シンプルに、デザインの力はすごいなと思いました。ドラマで見た怖しげな「白い巨塔」はそこにはありません。

「白」は「純粋」を連想させ、ウエディングドレスにも使われています。ため息が出るほど美しい反面、死に装束も白ですし、日本人の場合は切腹を連想する方もいると思います（これは無意識的ですが）。

リハビリの先生いわく、やはりこの病院では、意識的に「黄色」使っていて、患者を安心させようという狙いがあるようでした。

これは、実際に体験されないとわからないかもしれませんが、夜中に灰色あるいは真っ白の廊下を歩くのは本当に怖いモノです。昔、一晩だけ入院した時に夜中に白と灰色だらけの病院をトイレまで歩いた時は、トイレを我慢しようとしたほどに怖い思いをしました。

心臓の手術は、すごい負荷を体にかけていて、しんどい面もありますが、一週間以内に（胸を固定するプロテクターをつけて）歩ける人は歩けるようになります。術後すぐにリハビリの先生がつき、歩ける方には無理をさせない程度に歩かせます。

僕も2週間もたてば、病院内を歩けるようになっていて、リハビリの先生や看護師からは、「夜眠れなかったら、気分転換に院内を歩いても良い」と言われていました。

ですから、僕は結構、夜中に病院中をてくてくと歩いていたのですね。流石に夜中の病院は怖いかなと思いきや、夜に歩いても病院から暖かい印象を受けました。使用されている灯りも、蛍光灯ではなく、落ち着ける感じの雰囲気のものでした。イメージとしては、アットホームなホテルという感じです。

この時、改めて思いました。

「デザインは人を幸せな気持ちにする以上に、人の人生を豊かにする。つらい時に、あたたかな灯りで照らして安心させる事もデザインの大切な役割ではないか」と。

そんな事を、真夜中に病院の廊下をひたひた歩きながら、実感したのです。

まあ、早く寝ろよって話ですが（笑）。

＊

この病院のコンセプトである、二つのハートに話を戻します。

もちろん、デザインでは直接的には心臓や体を治す事は出来ませんが、もう一つのハートである「心」を癒す事は出来るのではないでしょうか。

日々、デザインと仕事で格闘しているデザイナーは、だいぶハードワークで、作っている自分の命が削られてしまう！　と思ったりするかもしれません。

しかし、どこかで「デザインは人の幸せのためにある」という心持ちだけは、忘れないようにしたいものです。

僕もギリギリの状態だった時に、H病院のデザインに助けられ、リハビリに精を出していた事をいつまでも忘れないようにしようと思ってます。

3

章

デザイナーになるためのロードマップ

「デザインが好き」が一番大事

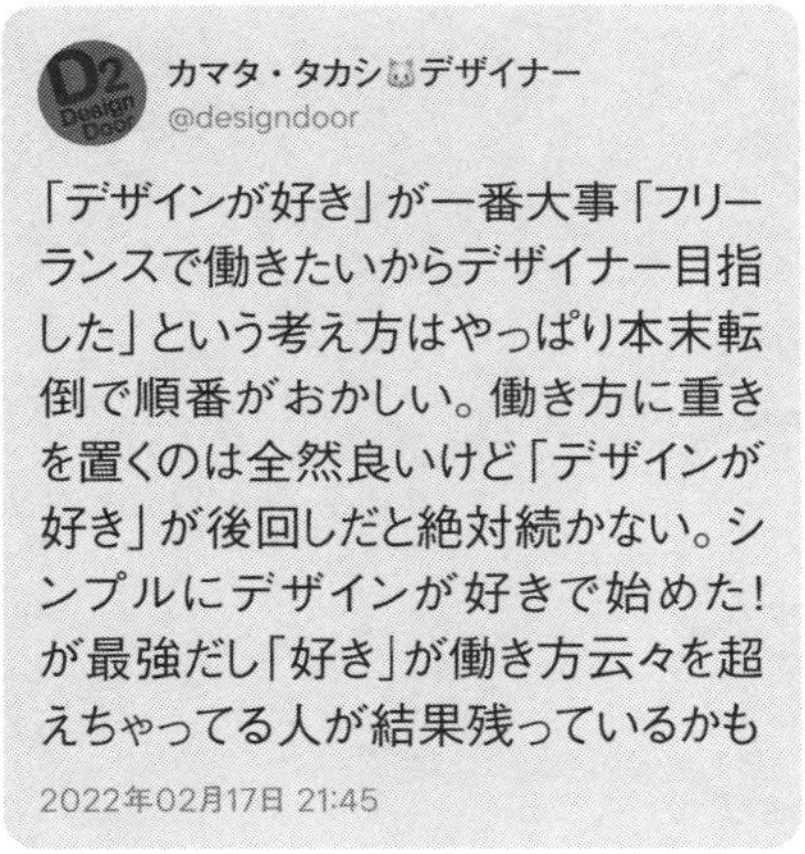
カマタ・タカシ🐱デザイナー
@designdoor

「デザインが好き」が一番大事「フリーランスで働きたいからデザイナー目指した」という考え方はやっぱり本末転倒で順番がおかしい。働き方に重きを置くのは全然良いけど「デザインが好き」が後回しだと絶対続かない。シンプルにデザインが好きで始めた！が最強だし「好き」が働き方云々を超えちゃってる人が結果残っているかも

2022年02月17日 21:45

これは２０２３年の2月の時点で、僕のツイッター（現X）で一番「いいね」を戴いたツイートです。

「デザインが好き」という感情を出発点としている人はそんなに簡単にデザインをやめないですし、結果的に活躍出来る所まで、駆け上っていくように思います。これは

多くの活躍しているデザイナーを見てきての実感です。

照れ隠しなのか「自分はそれほどデザインは好きではない。いつの間にかこの仕事から抜けられなくなっていた」と語る人は、僕から言わせてもらうなら「心底デザインが好きだ」と言っているようなものです。

ただ一方で、最近ＳＮＳで「フリーランスになりたいから、デザイナーを目指す」と公言し、デザイナーになる事より、「フリーランスで働く事」のほうを大事に考える方がいます。おそらく「在宅で出来る仕事を探していたらデザインに行き着いた」など、出発点が「好き」ではない方達です。


正直な話、**「デザインが好き」という事が初めにないと、この仕事はなかなか続けられるものではないでしょう。**デザインが好きで続けているうちに、すべての作業を一人でやりたい、とフリーランスを目指す流れであれば自然ですが、こういう方の中には、未経験からいきなりフリーとして仕事を受けてしまうケースも多いようです。

一方で、多少経験が浅くてもすごく頑張り、副業から始め、フリーランスとして仕事を広げている方もいて、やはり、その方などは相当な努力や犠牲を払い、コツコツと仕事をして信頼を得たうえで独立しています。

そのような努力家の方々を突き動かしているのは、間違いなく「デザインが好き」という思いです。

「好き」なんていうと、何となくふわふわした甘い感情に、聞こえるかもしれませんが、僕が言いたい「好き」とは、**誰が見ても尋常ではない数の習作を作り続けているのに、「すごい楽しい」とほくそ笑んでいるような、少し狂気も含んだ「好き」の事**です。

フリーランスで働きたいという目的のため、デザインという手段を利用するだけで上手くいくほど、デザインの世界は甘くはありません。

デザインが好きだからデザイナーを目指す

コロナ禍において、仕事のリモート化が進んだ時期に、家にいながら出来る仕事が注目を集めるようになりました。

会社に出社しないとどうにもならない「対面が必須のお仕事・その場での作業なくしては成立しないお仕事」と比べると、デザインの仕事は確かに、オンラインに向いていますが、**家にいながら一人で出来る仕事の代表**でもなんでもありません。

また、一部の無責任なデザイン学校は、「お子様が小さくて会社通勤が難しいお母さんでも、デザインの仕事なら、基本さえ覚えれば簡単に出来るし、データ納品も可能なので、リモートで家にいながらお仕事が出来ます」と誘って、結局自分達の高額な受講料のオンラインスクールに入れさせようとします。

まるでデザイナーになれば、完全にリモートワークで仕事が終わるかのようですが、会社によってそれぞれ違いますし、そもそもスキルもない人間が「１００％自分が希望する働き方を選ぼうとする事」自体に疑問が残ります。

デザインという仕事は確かに非常にやりがいがある素敵なものですが、それだけ一筋縄で行くような仕事ではなく、魅力的なビジュアルを作るための深い専門性と、クライアントから正しく要望を聞き出すコミュニケーションスキルも求められます。
「働き方」であったり「お金」が一番先に来る人は、デザインスキルを学ぶ過程で嫌になってしまい、続けられなくなる事が正直多いと感じます。

「デザインは夢の国」という幻想

デザイナーという言葉が持つ響きは、横文字で何だか格好良く、憧れを持つ人もいるかもしれません。

現実とはズレたイメージを持ったまま、「資格」がないのをいい事に、未経験に近いのに、ツイッター（現X）で「デザイナーです」なんて名乗ってしまう人がいます。

適度に専門的で、適度にファッショナブルで、適度にお洒落で、適度に格好良い……からでしょうか。でも、デザイナーに限らず、何の仕事でも容易にプロになれるものじゃありません。

プロになる方はそれなりに学びに時間をかけて、努力しているという事です。（美大と専門学校の是非はさておき）そんなに簡単な仕事なら、芸大・美大生達はなぜ4年（＋予備校期間）もみっちりデザインについて学んでいるのでしょうか。今までデザインと無縁だった方でも、一般的な経験値で考えればわかるはずです。

芸大・美大に通わなくてもプロになれますが、**人様からお金をいただく専門的なお仕事をするのであれば、それだけ時間がかかる事**だけは知っておく必要があります。

実際に「クオリティが足りていない」とお客様からのクレームを受けて、一人きりで困ったという未経験のフリーランスの話は、デザインの現場でよく聞こえてきます。

本当にデザインが好きですか？

ここまで、デザイン界の現状を嘆くような内容ばかりですが、最後に何が最も大切な事か、すっきりとまとめたいと思います。

僕が言いたかったのはただ一つ。

「本当にデザインが好きで、デザインを仕事に選んでいますか？」という、子どもでもわかるような、普通の論理です。

ツイートで書いたように「家にいながらも仕事が出来る、フリーランスのデザイナーを選びました。経験不足は現場で補います」なんて、本末転倒です。格好良さそうですが、単純に、仕事を依頼してくれたお客様に、十分に鍛えていないスキルで作ったデザインを押しつけているだけです。それを「作り手のチャレンジ」というのは都合が良過ぎます。自分がお客様の立場ならどう感じるか？　イメージ出来ない人にデザインは、まず無理でしょう。

本来であればまずは「スキルを磨く事」が第一のはずです。「デザインは簡単か？」と聞かれても（どのレベルで聞いてるのか？　にもよりますが）、経験が長い人間ほど「簡単だ」などと口が裂けても言えません。

でも、**デザインが好きで堪らないのなら、デザインの面白さは底なし沼**です。本当にデザインって奥が深く、楽しいものです。色々なジャンルのデザインに対応出来る自分を作るのは大変ですが、こんなにやり甲斐がある事もなかなかないなと、10年やっても15年やっても底が見えません。

イラスト・写真・ロゴデザイン……色々な要素に対する理解力も養われます。この全部を自分でこなす事は不可能ですが、それぞれのプロにオーダーするためにも、**時には、同じレベルまで自分のレベルを引き上げる事も求められます。**これも大変な道であるがゆえに、面白さも尽きないわけで、どこまでも追求出来るのです。

デザイナーという仕事は、「すぐに稼げるお仕事」でも、スタバで優雅に作業をこなせる類のお仕事でもありません（そもそもスタバで公開前のクライアントワークはしてはいけません）。そんな見かけ倒しのキラキラではなく、本質的なキラキラは「デザインワーク」そのものにあり、際限なく輝く可能性があるはずです。

「稼ぐ」にしてもその面白さを追求した後で、結果としてついてくるものです。

デザインの外側ではなく、**「デザインそのものが好き！」を出発点にデザインを続けていきましょう。**デザインという底なし沼に思い切り浸かって、その深みにハマってみてください。


フリーランスという「働き方」を第一に考えるのではなく「デザインが好きだ！」という羅針盤を持っている事が何より大事だと心からお伝えしたいと思います。「働き方」にこだわるのはある程度プロとしてスキルをつけてからでも遅くはありません。

逆を言えば、それさえ持っていればどんな方でも進んでいける世界なのです。

プロになるためのロードマップ

今の時代は昔に比べて、デザインを学ぶための情報は溢れているように見えます。

本屋さんに行けば、デザイン本も沢山ありますし、色々問題はあれどもデザインを学ぶ学校も増えてはいます。無料で有益な情報を上げてくれるブログもありますよね。

それでも、例えば、新卒ではなくすでに社会に出ている方が、未経験だけどデザイナーになりたい！　と思い立ち、参考に出来そうな「デザイナーになるまでのロードマップ」を探そうとしても、なかなか見つけられなかったりします。沢山のデザイン本を探しても、**「どういうステップを踏んで、夢を実現すれば良いのか？」**と具体的な道筋を書いている本はほとんどありません。

ならば、とデザイン学校の説明会に参加して質問しても、自分達の学校の優れた点は教えてくれますが、（一般的な）プロになるまでの道のりを教えてくれる学校はまだあまりないかもしれません（それぞれの学校にとっても直接的に利益になる情報発信ではないので、無理もない気もしますが）。

「未経験からいきなりフリーランス」などという間違いだらけの道筋を伝えてしまう学校が増えてしまった一つの要因に、**プロのデザイナーを目指すまでの道筋が見えにくい事**もあるといえます。それこそ、僕がこの章を書いた理由の一つです。

他業種からデザイン業界へ転職したい方へ

この話を踏まえたうえで、「すでに社会に出ていて他業種からデザイン業界へ転職したい・本気でデザイナーを志す方」を想定し、そういった方達が**デザイナーになるま**

でのロードマップの例を、僕なりに書いてみました。

なぜ、このロードマップを書いたかというと、10代からデザイナーを志しているような方は専門学校や美大に入ったらかなりの確率でデザイナーになれる事を大抵は事前に調べ上げています。美大などを目指す「美大予備校」などの学校は、結構歴史が長いところが多く、美大に入った学生達がどれくらいの確率でデザイナーになるのか？専門学校はどうか？　それなりに確率が高い答えが出るデータを持っていると思います。

また、美大や専門学校に入り、3年次、4年次に相談に行く（大学内の）「進路相談課」にも、卒業生達の就職先のデータは揃っているはずです。なので早めに道を決めた彼らは、すでにあらゆるところからロードマップを手に入れています。

しかし、すでに社会に出て他業種で働いてから、デザイン業界に進みたいという方々は、今立っている環境がそれぞれ違うでしょうし、なかなか自分にぴったりの経歴のモデルケースも見つけにくいはずです。**「どうすればプロのデザイナーになれるのか？」というロードマップ**は、本当に探しにくいと思います。僕自身は、半分以上、外側からのプレッシャーもあって美大を目指すしかなくなった人間ですが、10代のうちから、将来をビシッと決められるものでもないよなと感じてもいて、社会に出てからデザイナーを目指す方は応援したいと思っていますので、とりあえず「目安」程度にでもなれば……と、**そういった方々へ向けたロードマップ**を書かせてもらいます。

「特にデザインの専門学校や美大などで学んだ経験はなく、デザイン以外の仕事からデザイナーを目指す」という方には、今からお話する4つのマイルストーンは（僕が思う）デザイナーになるための一般的なステップかと思います。これはあくまでも基本的なものであり、それぞれの方によって少し違う道筋にはなるでしょう。それぞれの事情、すべてにピッタリ合うマイルストーンを立てるのに限界もありますから。

この4項目を暗記してどうという事ではなく、それぞれの項目を立てた理由（解説部分）をよく読み、ご自分の事情などと合わせて、参考にしていただければと思います。

当然ですが、これ以外の道が間違い、などというつもりはありません。ただ、逆にここに書いたようなそれぞれの工程を、根拠もなく強引に、「端折っても大丈夫」などと言う人に会ったら、きちんと理由を聞いて真意を確かめる方が良いでしょう（働いた経験もないのに「制作会社なんて時間の無駄！」と根拠もなく言い切る人達は多いですからね）。

デザイナーになるまでのロードマップ

1 ちゃんとしたデザイン学校へ通う

2 制作会社に就職する

3 1年は入った会社で頑張る
（ただしブラック企業の場合は転職もやむなし）

4 様々な案件を経験し、十分にスキルが上がったら、独立を目指す
（「独立」が唯一のゴールではない。「人それぞれ」で良い）

はい、並べてみると、非常に当たり前に見えますね。一応、個々についてはWebデザイナーの世界を志した経験者として、詳しい説明をさせてもらいますね。

① ちゃんとしたデザイン学校へ通う

「なるほど、ちゃんとしたデザイン学校ね……。で、『ちゃんとした』ってどういう事？」と思いますよね。なかなか「これ」というのは難しいですが、ここでは特定の学校を推す事は出来ないので「消去法」をベースに「こういう種類の学校はおすすめ出来ない！」というかたちで、好ましくない学校の特徴を挙げてみたいと思います。ここに挙げる特徴・デメリットポイントがない学校こそがおすすめの学校だという事で、参考にしていただきたく、話をすすめていきます。

好ましくないと思われる学校の例

A．3ヶ月でプロになれるなど、短期間の成果を強調して、期待させてしまう学校
（最低でも1年程度はかかるという気持ちと姿勢が正しい）

「3ヶ月だけ学べば必ずWebデザイナーになれる！」なんて言い切るところは、危

ないと思います。例えば、本気で技術を習得するには、3ヶ月ですべて学ぶつもりでいるべきだとハッパをかけるのであれば素晴らしいのですが、学校側が「3ヶ月でなれる！」と公言して勧誘するのは、ほとんど嘘に近いので、まあ良くない事だと思います。

こんな謳い文句は「ただの都合の良い机上の空論」です。本音を言えば、**「6ヶ月でなれる！」という売り文句でも、危うい**くらいです。そんなにすぐに上手くなるなら誰も苦労しません（笑）。

今、活躍するデザイナーの中には、美大や専門学校で2〜4年しっかり学んできた人達がいます。美大などは余裕を持ってカリキュラムを組んでいる事がウリになっている事もあり、その4年という歳月が必ずしもデザイナーになるために必要というわけではないでしょう。

しかし、後からプロになる方がその人達のキャリアを追いかけ、追いつこうとするなら、最終的に（年月をかけて学んできた方達と）現場で競う事になります。（後発で学ぶ方達の学習期間が）3ヶ月や6ヶ月だとあまりにも短いと思いませんか？　また、この3ヶ月とか6ヶ月って、ざっくりとしたスパンで区切っているけど、**トータルで何時間の勉強時間？**　なのかという事も、実は大きな問題です。

一日（24時間）を時間単位で考えると、学生の方々は、一日中学ぶ時間にあてられるので、社会人の3ヶ月より沢山の時間を用意出来ている現実も、頭に入れておきたいですね。その観点から見ると、**社会人の3ヶ月や6ヶ月ってかなり短い時間**かもしれません。

「耳が痛い」と感じられる方もいらっしゃるかもしれませんが、物理的な事実でしかないので、社会人の方は**「学生に比べたハンデの存在」**を真正面から見つめて、差を埋めるべく、前向きに努力すれば良いと思います。目をそらしても何の解決にもなりません。

このあたりについては、同じ6ヶ月コースでも、学校側が説明会などで「制作時間は全然足りません」とわざわざ言ってくれるところは、良心的で信用度は高いでしょう。もっと言うと、**生徒にやる気があればいくらでも学べるように「宿題」のような課題が用意されている学校などは、おすすめ**です。

また、「講師に質問し放題」を売りにしている学校はよくありますが、逆を言えば、質問して初めて（学校側が）動く、という事なので「実際に生徒の質問に対して講師側がどのように答えたか？」「**1ヶ月に生徒はどのくらい質問し学校としてどのような答**

えを返しているか？」学校説明会などで確認しておくと良いかもしれません。

こういう質問にスラスラと答えてくれる学校は、少なくとも「生徒の質問」を学校側にとって貴重な財産と捉えてる証拠なので、学校の質は高いように思います。

逆に、ざっくりと「わからない事は無制限に質問可能です」だけで、生徒のサポートを済ませてるような学校やどんな質問があったか？　にもまったく無頓着なような学校は、実際は生徒を放ったらかしな場合もあり、あまりおすすめは出来ません。

B.「すぐに、簡単に、デザイナーになれる」と言ってしまう学校
また、そういうイメージを前面に出して生徒を勧誘する学校

これはAと根本的な問題点は同じです。

「デザインという仕事は魅力的なお仕事です！」と職業の魅力を打ち出す事は良いのですが、「デザインというお仕事は皆さんが思っているより簡単で、すぐに私のように稼げるようになります」と人目を憚らず講師が言うような学校はまずアウトです。

まるで、せどりか何かの副業をすすめるように、デザインというお仕事を「簡単で稼げるお仕事」だと謳う学校もあります。

女性向けと思われる学校には、言葉にしていなくとも、必要以上に簡単でお手軽に、お洒落に活躍出来る職業だというイメージを前面に出している学校もあり、避けたいものです（SNS上で〝キラキラスクール〟と揶揄される学校です）。

学校サイトのトップページは、多少大袈裟に夢を見させるくらいは良いと思います（例えば、モデルがデザイナーを目指す生徒に扮してるとか、有名タレントがイメージキャラクターとなり主要ポスター等に使われる…等）。ただ、ページを読み進めていっても、キラキラしたイメージしか伝わってこない、誇大広告的にデザイナーを、短期で稼げる仕事かのように伝えてばかり、なのはどうかと思います。

どちらかといえば、**「相当に努力しないと、後から入ってきた人は、現在デザイナーとして活躍している人と、肩を並べられない」**など、言いにくい事でもズバリと言ってくれる学校の講師やスタッフのほうが、信頼出来るのではないでしょうか。

むしろ**「デザインを甘く見ないほうが良い」**という主張で、それが講師のレベルの高さなどに具体的に現れている学校などは、学校の姿勢として、安心出来ますね。

ここのあたりは「言葉」だけでなく、打ち出しているイメージ全体で判断していきましょう。学校もイメージ重視であるので、デザイナーを素敵なお仕事として表現するのは良いのですが、ものすごくお洒落な自宅のセットで、プロが使用するデザイナーズチェアに座り「一時間でデザイン終了！」みたいなイメージを全面で打ち出しているようなら、かなりの確率でその学校のレベルは低いはずです。

C．講師が自身の作品や実績を公表していない学校

「フリーランスでバンバン活躍しています」と言いつつ、**自分の作品実績を、受講希望者に見せてくれない講師ばかりの学校は、少し疑ったほうが良いでしょう。**

例えば、講師がそれなりに有名な制作会社に所属しており、昼間はそちらで働き、夜は講師として学校で教えている場合、**その会社の実績・レベルとその講師のスキルは同等と考えても良いかと思います。**制作会社に勤務している場合、**その講師の作品も会社の実績という事**になるので、(個人の作品として) 自由に公開出来ないものですから、理解も出来ます。

しかし、「未経験からフリーランスで、すぐに稼ぐ事も可能」と学校で謳っていて、あたかもそれを実践しているかのように見せている講師達が、制作会社に属しているわけでもないのに、お仕事や作品自体をほとんど公開していない学校は、少し変です。

学校の講師やスタッフの人間が「ＳＮＳを使ってクライアントから、直接デザイン

のお仕事を戴きました！」と呟いているのに、その実績をSNS（からのリンク）に上げないのも変ですよね。「ヒアリングが何より大事」と言っているような講師でしたら、お客様と交渉し、実績を公開する許諾など簡単に取れるはずです。

比べるのは失礼かもしれませんが、有名美大のサイトに行けば「教員紹介」のページのところに、代表的な教授の実績が、これでもか！　と列挙されています。

こういう部分、美大などは、流石にしっかりしています。**「教える人はこれだけの実績を持っている」と知らせるのは、学費を取って、何かを教える「学校」というものの責務**だと思いますし、ここのあたりを曖昧にしている学校は今後立ち行かないでしょう。

たまに、実績はあるのに、何かの事情で、講師の作品実績を紹介出来ていない学校もありますので、普通に「これから教えていただく講師の作品を見せて欲しい」と、学校にお願いしてみると良いでしょう。

D．（学校の）カラーが強過ぎる学校

学校自体のブランディングが強過ぎるところも、少し危うさを感じます。

学校で意図的にブランディングをしたわけではないとしても、あまり学校独自のカラーが強いところは気をつけたほうが良いかもしれません。

例えば、就職活動時に採用担当者がその学校の受講生や卒業生の作るポートフォリオを見て、「あ、あの学校の出身かもしれない」とか「あの学校でよく使われる配色だな」とすぐにわかってしまうような学校があります。

その学校っぽい色味、その学校っぽいフォント、それらのテイストが生徒達の間で自然に共有されると、**その学校の特徴やカラーが卒業生の「癖」として定着してしまうわけですね。そうなると、卒業生はそればかりを追いかけるようになってしまい、世間一般のデザインとどんどん乖離が生じ、プロとしてのクオリティに達しないことになりかねません。**


例えば、どんなジャンルでもフェミニンな女性らしいデザインとなってしまう「癖」を持つデザイナーがいたらどうでしょう？　建設会社のサイトデザインを任された時であっても、どうしてもフェミニンさが抜けず、「テイストの調整が効かない……」という感じです。

そういったブランディングが強めの学校か否かを、どうすれば判断出来るかといえば、やはり卒業生とか受講生の作品を確認し、そこに共通したカラーがあるかをみる事でしょう。

これは、あなたが**デザイン未経験であろうと、パッと見で、わかるもの**です。学校のサイトに卒業制作の紹介ページなどがあるはずですのでそこをチェックしてみましょう（もしないようでしたら、SNSなどで、学校名をハッシュタグにして探してみると見つかるはずです）。

正直、学校側の狙いではなく、自然と学校らしさが、受講生・卒業生に出てしまう場合もあるので、学校自体を責めるのは酷な気もしますが、学校のカラーが強過ぎるとどうしても通っている生徒は影響される事が多いと思いますので、おすすめは出来ません。

また、一番まずいのは、**その学校のテイストが大好きで（何なら、その学校に憧れる勢いで）受講してしまうパターン**です。そういう方は、自分から率先して、その学校らしいテイストに染まっていくでしょう。そうなると「その学校らしさ」がその生徒さんの「正解」となってしまいます。

例えば、美大それぞれにも、厳密にいえば、その学校らしさはあるので、必要以上に細かくチェックしてナーバスになる必要はないですが、目に見えて「その学校らしさ」が強過ぎる学校は避けたほうが良いでしょう。

E．未経験からいきなりフリーランスをすすめられる学校

はい、この手の学校が一番、危ういかもしれません。「SNSは比較的簡単に集客（営業）が出来るので、未経験からでもフリーランスのデザイナーとして今より高い収入を得られる」と初心者を勧誘してくる学校があります。

一般的なフリーランスのデザイナーになるまでのイメージは「**色々な会社で、経験を積んで経験値が高くなった方が、最後に独立してフリーランスになる**」というものだと思います。

この経験を積む時間を、自身の努力で可能な限り短くして、若いうちに独立された方はいると思いますが、制作会社に採用された経験もない未経験の方がいきなりフリーランスになるのはどう見ても不自然です。そういう話は他の業界では聞いた事もありませんよね。なぜ、デザイン業界だけ可能なんでしょうか？

僕がフリーランスを経験した時に感じたのは「自分の理想とは違い、デザインをする時間がどんどん削られるなぁ」という事です。営業活動や毎月の経費の事を考えたり、（あるいは一人しかいないとしても）経営的に考える事もあります。「フリーになったらデザインの仕事だけジャンジャン出来る！」なんて思っていたのですが、それとは真逆の状態が待っていたのです。

つまり、**初心者がフリーランスとなった場合、デザインのスキルを上げるための時間をデザイン以外の業務に取られ、デザイナーとして十分に成長出来ない事につながってしまう**と思います。

そういった無責任な学校が「未経験者にフリーをすすめる」事は、結果的に、現在デザイン以外のお仕事をしている受講生に、その仕事を辞めさせる事になりかねないですし、このような学校にどんな夢を見せられても、今勤めている会社を安易に辞めたりしないほうが良いでしょう。

また、そういう学校の講師は「制作会社に勤めた経験がない」事が多く、つまりは就職活動の経験がない分、受講生のキャリア形成についてのアドバイスが出来ない事も、フリーをすすめる一つの要因かとも思います。

講師達が、制作会社に採用された経験もなく採用活動等を教えられないので、受講生が未経験であろうと、いきなりフリーランスになれ！　と勧めるなんて、冷静に考えればひどい話ですよね。無責任以外の何ものでもないでしょう。

逆を言えば、ちゃんとした学校かどうか、判断する基準として、**講師の半分以上が制作会社に勤めた経験のない学校は、少し考え直したほうが良い**かと思います。

デザイン学校の悪口ばかり言いたいわけではありませんし、真摯に運営されたしっかりした学校も当然存在します。判断は読者の皆さんにお任せしますが、色々と学校を見る中で「おすすめ出来ない学校のおすすめ出来ないポイントに該当しないか？」チェックしてみてください。そうすると消去法でいくつかの学校が浮かび上がってきます。

ここまで、踏み込んで書いているのは、そういった学校に通い何十万もの受講費を支払ったけど、デザイン本に書いてある内容程度しか教えてもらえなかった、という相談をいくつか戴いたからです。

是非、ご自分の目で、ここに書いたA～Eに該当しないか？　という事を厳しくチェックして、学校を選ぶようにしてください。

②　制作会社に就職する

制作会社に就職する、と簡単に書いてしまいましたが、当然ですが「入りたい」だけで、入れるものではありません。**それなりに過酷ともいえる、採用までの道のりがあります。**

個人的には、**制作会社に採用される事こそが「プロのデザイナーの一次試験」**くらいに思っています。逆を言えば、未経験からフリーランスというと、すごくスキルが高くて格好良いように見えますが、少し言い方が悪いですが、その未経験の方達は、制作会社に採用されるという**「プロ一次試験」を突破していない人達**ともいえます。

これは世のフリーランスの方を否定しているわけではありません。なぜならほとんどのフリーの方は、制作会社にある期間在籍された経験をお持ちだからです。ただフリーランスになるだけであれば、誰の評価も得ずに誰でもなれるというのは事実です。

一般的には、プロとして活躍したいなら、制作会社に採用され、そこで色々な事を学び、また同じ志のデザイナー達と比べられたうえでスキルアップを重ねていくほうが良いと思います。独学よりも効率的に沢山の事を学べますし、十分なスキルを手に入れたその先でフリーランスになりたいならなれば良いでしょう。

大抵の制作会社は、簡単に未経験の方を採用する事はありません。**プロの採用担当者達が、自分らの同僚となって、しっかり会社に貢献してくれる人を忖度なしに選ぶ**

はずです。なので、まずは、入りたい制作会社に書類を提出し、ポートフォリオを用意し、面接で自分自身をプレゼンして、真正面から制作会社に入社する事をおすすめします。こうして制作会社に採用される事は生半可な事ではないですし、それだけ価値のある事です。

ポートフォリオの作り方なども2章で書きましたが、ああいった面倒なものを魅力的に作り上げるという作業自体が一つの試練かとも思います。

今、フリーランスとして**10年くらい続けている方で、制作会社などの経験がない方を僕はほとんど知りません。**

もちろん、独学からデザイナーになった方も、いらっしゃると思いますし、それで5年以上フリーのデザイナーとして活躍されているならその事実が答えであり、その方々を否定する気は毛頭ありません。

逆を言えば、そのような方々は、教えてくれる先輩もいない中、一人で努力をして、きつい経験を乗り越えているはずですから制作会社に入る道よりも厳しい道と想像出来ます。相当な覚悟がなければ無理かと思います。

とにかく、まず、**制作会社に採用される事はデザイナーのロードマップの第一歩**として一番、妥当なステップだといえます。

③　1年は入った会社で頑張る（ただしブラック企業の場合は転職もやむなし）

そんなこんなで、デザイン制作会社に入社出来たとしたら、まずは相当頑張った自分を全力で褒めてください。……ただ、残念ながら大抵の制作会社は、その余韻に浸る間もなく、**すぐに目まぐるしい毎日がスタートする**事でしょう。

もの作りの現場は、それなりに大変ではあるので、何とか食らいついていってもらいたいと思います。

クライアントから依頼を受けて、要望を超えるデザインを一から作る作業は、予定通りにいかず長時間制作を強いられる事も多く、キツい思いをする場面もあります。でもせっかく採用されたのですから、ひとまず1年程度は修業期間と思って、頑張って欲しいなと思います。

今まで学生だった方は、プロの現場からの厳しい洗礼も受ける事でしょう。しかし、**沢山の方が応募したであろうその会社で採用されたのはあなたです。**何か光るものがあるから、採用されているはずです。

　そこはもう、採用担当もバカじゃないので、**会社の利益のためにもシビアな目で見ているはず**です。選んでくれた会社のためにも、というよりも「選ばれた自分のために」めげずにしばらくは頑張ってみてください。きっと、初めはきついと思っていた筋トレが筋肉がつくにつれ、いつのまにかつらくなくなるように、**段々とデザインが楽しくなってくるはず**です。

　この「1年は入った会社で頑張る」の「1年という期間」も、絶対ではありません。あなたが、どうしても会社に馴染めず、精神的にひどくつらいなら、その期間が半年になったとしても構わないでしょう。心が壊れては元も子もありません。そこは自分で判断してみてください。

　1年と書かせてもらったのは、一般的に、**採用担当側から見て、「前の会社をすぐに辞めた」と受け取られないための目安**として、1年くらい勤めていると次に転職する時に影響がないと思っただけです。

　もう一つ、やはり会社も人間が作るものですので、残念ながら「不完全な組織」である可能性もあります（……と言うよりも、そもそもすべての人間にとって完全な組織などありません）。

いわゆるブラック企業だったり、パワハラ・セクハラなどの別の問題点が見えてしまい**「本当にやばいな、この会社」**と、**あなたが思う場合は、さっさと次への準備を始める事も大事**です。即、転職準備です(笑)。ちなみに、転職活動は就職活動とほとんど変わりません。

「こんなに厳しい事を言われてるけど、これってひどくないか？」と感じるのであれば、極論のようですが、労働基準監督署や働き方の相談窓口に相談・連絡して、話を聞いてもらう事も解決策のひとつとしておすすめしたいです。

組織というのは中にいると、そこでの決まりが社会の決まりのように感じてきてしまう事もあるので、組織外の誰かに客観的に話を聞いてもらうのは、有効だと思います。かく言う僕も、その昔、所属している組織がきついと感じて、労働基準監督署に電話した事があります。結構ちゃんと話を聞いてくれ、具体的な解決策を提示してくれた事を覚えてます。

本当につらい時には、少し問題を別の角度から見て解決策を探ると、事態を好転させる事もあると思います。

「こんな会社はやばいぞ！」の実例を挙げます。

①　半数以上の社員が（誰かに届けとばかりに）舌打ちをする
②　終電時間が気がかりで、誰かの作業用モニターに「退社は23時10分まで、遅れると終電逃す」と赤字で書かれた付箋が貼ってある
③　ひたすら否定的な口癖でアドバイスする上司ばかりいる
④　このご時世、未だに部屋でタバコを吸う人がいても誰も注意しない
⑤　終電続きなのに、バカ早い朝練（グループでアイデア出しなど）がある。しかも課題つき
⑥　パワハラ・セクハラがある（「気にし過ぎかな」と思うなら何人かの友人に確認を取りましょう。……大抵はあなたの感覚が正しいです）
⑦　個人的に「どうしてもこればかりは許せない」と思う点がある

何だか、書いているだけで、落ち込んできてしまいましたし、作り話のようですが、すべて実在した会社です。

3つか4つは実際に僕が経験した例で、それ以外は、信頼出来るデザイン界の友人から聞きました。こんなような環境でしたら、普通に逃げ出す事を考えて良い……。いや、逃げ出す事を考えたほうが良い会社です（笑）。

⑦などは、誰かが悪いわけでもないかもしれませんが、**本人にとって大きな問題であれば、自分を大切にする観点から、十分問題視して良い**と思います。

「少々きついかな」くらいであれば、せっかく選ばれたのですから身につけたい技術（スキル）と天秤にかけて、よく考えてみる事も大切ですが、ここに挙げさせてもらったような事など、明らかに常識からずれている事・自分にとって厳しい部分が多数あるなら、会社から離れる事も視野に入れて良いと思います。

特に言いたいのは**「こんな事くらい我慢できないなんて自分は甘いのだろうか？」**とは考えない事です。**それを考える時間があるならとりあえず転職準備を始めちゃう方が良いでしょう。**特にデザイナーの場合「転職したい」と思ってもポートフォリオが作れていなくて初動が遅れてしまうものなので、良さそうな制作会社が「デザイナーを探している」なんて話を知り合いから聞いたら「とりあえずポートフォリオ持っていくのでお話だけでもさせてもらえませんか？」とお願いする事だって出来ます。

ここに書いたような事が日常的に起きている会社に勤めていると、自分では「全然平気」と思っていても精神的にキツくなって「隠れうつ」みたいな状態になる危険性が大きいので、そうなる前にあまり深く悩まずに、**転職するため必要なポートフォリオをまとめておく事をおすすめします。**小さいお仕事でも担当したものがあれば、ポートフォリオに整理してみてください。

実際のプロの現場で揉まれているあなたは、自分が思うより成長していますので、ポートフォリオのクオリティも上がっていたりするものです。

そんな事をしているうちに、知り合いの紹介から「もっと良い職場」に移れるかもしれませんし、新しく入ってきた上司の元で今いる会社が改善されて、働きやすくなってくるかもしれません。**どちらに転んでもポートフォリオを準備しておく事は「是」でしかありません。**本当に精神的なダメージを受ける前に、出来る準備はしておきましょう。

④ 様々な案件を経験し、十分にスキルが上がったら、独立を目指す（「独立」が唯一のゴールではない。「人それぞれ」で良い）

先にも書いた通り、制作会社に入り、デザインの作り方や、デザイン以外の部分を、先輩方から学んで（盗んで）数年たってから、フリーランス（独立）を考えるのが一般的かと思います。

ただ、一つ書いておきたいのは、フリーランスがデザイナーとして目指す唯一無二のゴールではまったくありません。独立する事が夢であれば構いませんが、**会社に属しているからこそ担当出来る案件**なども あったりします。

「フリー」とついているから自由ではありません。**生き方・働き方が、会社員デザイナーが向いている人もいます**し、どちらが優れているという話ではないのです。

「毎日の通勤が嫌！」「夏休みよ、終わらないで！」と叫ぶ、小学生と大差のないメンタリティを丸出しにして、それがフリーを望む一番の理由であれば大人として少しおかしくないでしょうか。そりゃ通勤が嬉しくて仕方ない人などいないでしょうが、**自分に合った会社で、素晴らしい同僚や先輩に囲まれて幸せに仕事しているデザイナーだって山ほどいます。**

ＳＮＳでたまにそのような発信を見かけますが、フリーランスのデザイナーに、普通以上の憧れをミスリードするような人や組織は、やはりおかしいです。どちらが自分にとって「自由」なのか自分で決めてください。

自営業という「一国一城の主」になりたい、商売が好き、組織が向いていないなど、フリーランスになる理由は色々ありますが、スキルが高くなり、誰よりも上手くデザインが出来るようになっても、福利厚生的な事だったり、具体的には健康を害して休んだ時に会社員の方が保障される……等を考えて会社員を選んでいる方も多数います。

また、フリーランスは、経営的な事や、営業をどうするか？　などはもちろん、確定申告といったお金の事もすべて、一人で切り盛りしないとならないので、なかなかデザインの作業ひとつに集中できないという現実がある事は、認識しておいた方が良いでしょう（実際、僕もフリーランスを1年半ほどですが経験し、実感した事です）。

そうした事を踏まえたうえで、どうしてもフリーランスになりたい人は、十分スキルが高まり、**制作会社で様々な案件を経験して自信がついたころに、独立への一歩を踏み出しましょう。**大人にとっての「自由」の意味を履き違えない事です。

コラム

僕が京都へ行く理由

僕がWebデザインの道に入る前の事です。7年に亘って、傘のデザインを作る仕事をしていました。

一般的に「傘のデザイナー」なんて専門的過ぎて、一体何をデザインするのか聞いた事がないかもしれません。

柄の選定から、配色デザイン（花柄なら花柄を3配色）、手元の柄や骨組みの素材の決定もするという、文字通り、傘を丸ごとデザインする仕事です。傘作りは、グラフィックデザイン、テキスタイルデザイン、プロダクツデザインの要素まである、かなり特殊なジャンルのデザインで、今思い返してみると、本当に貴重な経験をさせてもらったなと感じます。大変な面は多々あるのですが、それだけにやり甲斐もあり、7年間、幸せに働かせていただきました。

勤務していた会社は、傘という商材をメインに作っていた事もあり、東京ではなく京都に本社がありましたが、新宿都庁の隣にあるビルの18階にある社員数百名規模の東京支社が、実質的には本社という会社でした。今、Ｗｅｂデザイナーとして働いている僕を支えているのは、間違いなく傘のデザインから学んだ様々なものです。

例えば、傘といえどもアパレルデザインなので、花柄などの柄物の企画では、必ず3配色以上を用意する必要があり、必然的に色感を鍛えられたりしましたし、傘を販売している場でエンドユーザーの方から直にお話を伺えた経験は今でも、自分のデザイン制作に生きている気がします。

その傘会社の、同期の営業職に、通称「ひでちゃん」という友人がいました。

親友と呼ぶ事を彼が許してくれるなら、そう呼びたい人間です。東京出身で美大卒の僕と、京都出身で仏教系の大学を出たひでちゃんには共通点はほとんどなかったはずですが、合宿形式の新人研修で一週間近く同じ部屋で寝泊まりした事もあって、僕らはすっかり仲良くなりました。

デザイナー志望で入社した僕に冗談まじりにひでちゃんは聞きました。

「デザイナーって感性が大事だから若いうちしか出来ないって聞くけど、いつまで続けるの？」

「年齢と感性なんて関係ないよ、いつまでも続けるよ」聞く方も適当で、答える方も適当ですが、後々考えると将来の大切な夢についても色々と話せるまでになっていました。

研修後は、それぞれ営業部（ひでちゃん）とデザイン部（僕）に配属されましたが、東京支店の満員のエレベーターでは、時々「元気か？」と周りに気づかれないよう、アイコンタクトをしたりしていました。

入社一年目、僕は先輩デザイナーのデザインの手伝いをするかたわら、初めて自分で傘をデザインし、しかもそのデザインが商品として、百貨店に並ぶという人生で初めての経験をして、ひでちゃんも、会社の一番のお得意様である百貨店の担当となり、おたがいに忙しくも充実した日々を送っていました。

＊

続いての、2年目の事です。

「実際に商品を売っている現場（営業部）へ行って、売れる傘はどんな傘か？　その目で学んでこい」と、営業部への配置換えの辞令が、突然僕に出ました。丁度、営業部から「デザイン部は、売れる商品を全然作ってくれていない」という要望を越えた、不満のような発言が目立っていた頃です。

「デザイン部の若い社員に、商品販売の現場を見せたらどうだ」と上層部での会議で決定され、その人員として僕が選ばれてしまいました。まあ、僕が選ばれた特別な理由などないにも等しく、その頃のデザイン部に男性がほとんどいなかったので、営業の場合、商品出しなどの力仕事があるので、男のほうがよいだろう程度の事でしょう。

とにもかくにも、1年という期限付きで僕は営業部への異動を命じられてしまいます。正直な話、営業の仕事などした事がなかったですし、僕の方もデザインの仕事が楽しくなってきた時期で、まさかそのまま配置換えが戻らず、営業に行きっぱなし！なんて事にならないかなぁと、内心ビクビクしていたのを覚えています。

営業部へ異動し、人生で数回しか着ていないスーツに袖を通し、不慣れな仕事についていくのは、正直大変で、途方に暮れてしまう事もあったのですが、営業としては先輩であるひでちゃんが「お客様との飲み会での立ち振る舞いや作法」から、細かい事を沢山教えてくれて、どうにかして僕は営業の仕事に食らいついていったのでした。

ひでちゃんという男は、どこかポーカーフェイスで、良くも悪くも感情を出さないところがありましたが、その頃は、たまにつらそうな表情を見せたり、心ここにあらず……に見えたので、もしかしたら営業の仕事に不満でもあるのかなと心配してしまい、雑談がてらにそこのあたりをさり気なく聞いてみると、「実は、営業が特別に嫌というわけではないけど、他にやりたい事があるんだ」と打ち明けてくれました。

＊

ひでちゃんがやりたい事とは、「ものを作る仕事、何かをデザインする仕事」でした。実は、会社に入ってから僕の仕事をずっとうらやましいなと思っていたらしいのですが、何というか、ものを作る人間にある特有の匂いというか、良い意味で「こだわり」がまったくない男だったので、僕からすれば「嘘だろう？」というのが、正直な感想でした。

ただ、何回かに亘って、思い詰めたように話してくれる様子を見て、流石にこれは、思いつきや、軽い気持ちからではないなと思い、何か出来る事はないか？　と、自分が崖っぷちにいる事もすっかり忘れて、時々考えるようになりました。

そんな若者達の事情などお構いなしに、バブルが終わりかけた日本は、ブレーキが壊れたかと思うくらいに、何でも売れるような熱気にうなされ、傘も売れまくり、必然的に僕らは、信じられないような忙しい毎日に流されていくしかありませんでした。そんなこんなで、ひでちゃんには「落ち着いたら改めて相談に乗る」という約束をしたまま、時間も流れていったのです。

バタバタと苦難の月日は経ち、１年後。

僕は無事にデザイン部に復帰する事が出来て、営業時代のうっぷんを晴らすべく(?)、ばりばりとデザインに打ち込んでいました。

その頃になると、ひでちゃんから、具体的なもの作りの話を聞く機会がなくなっていて、「隣の芝生は青い」という一過性の、違う職種への興味や憧れだったのかなあと、ぼんやりと思ったりしました。担当百貨店の営業で忙しいのか、ひでちゃんからの連絡も途絶え、なかなか会えない日々が続きました。

＊

あれほど嫌がっていた営業部での1年間の研修は、結論から言えば、デザイナーの僕にとって非常に勉強になりました。傘売り場の売り子さんからも直接話を聞けましたし、エンドユーザーが、どういう傘を好むのかについてのリサーチも出来ました。何より、実際のお客様がいらっしゃる売り場を見てきた経験は、エンドユーザーの存在を忘れがちな、Ｗｅｂデザインの制作現場でも貴重な経験として今の自分を支えてくれています。

また、傘のデザインの現場では、営業の先輩方と1年間「同じ釜の飯を食った」事で、「売れる傘」の理想像も自然に共有する事が出来て、すごく仕事もしやすくなりました。それに、デザインした商品を店先にも立って販売したという経験は、この商売を「企画・デザイン」から「営業・販売」までほとんどワンストップで体験出来た、という事でもあり、デザインの企画を出す時も、アイデアが出やすくなりました。

また、僕の今までの人生を振り返っても、営業のお仕事をみっちりとさせてもらったのはフリーランスで自分のためにに営業した事を除けば、純粋にこの1年だけです。今、Ｗｅｂ制作会社の営業さんと、コミュニケーションを取る時にも、かなり役立っているようで、この体験には感謝しかありません。

＊

そんな、丁度デザイン部の仕事が楽しくなってきた頃の事です。

ひでちゃんが実家の京都に戻る、という話が聞こえてきたのです。

＊

ひでちゃんの担当する百貨店で一番の大手の店舗は、銀座の一等地の誰もが知る、有名百貨店でした。当時は、百貨店全盛期の時代でもあり、一階の婦人小物中心の売り場は、傘だけでも相当な額が売り上げノルマとして、ひでちゃんの肩にのしかかっていました。営業として期待されていた反面、売上のノルマも相当高く設定され、傍から見ていても、とても大変そうでしたが、こんな状況の中、売り上げの数字をかなり落としてしまったようで、珍しく本人もかなり落ち込んでいるようでした。

そんな今までの疲れもあったからか、ストレスから体調を崩し、念のためにと検査してみると、中期程度の胃潰瘍と診断されたそうです。

今後は、京都にある会社の配送センターで事務をしながら、実家から病院に通うと、ひでちゃんが電話で話してくれました。食事の面でも一人暮らしよりも実家のほうが安心だし、経過次第で入院する必要もあり、京都での生活を選んだとの事でしたが、本人は思ったより元気なようで少し安心しました。

心配しきりの僕に対して、ひでちゃんは「体調を崩してしまったけど、考える時間ももらえて、本当にやりたい事に向き合う良い機会になったかも。会社の先輩達には申しわけないけど、スッキリした……」と言って、逆に、こちらの体調や忙しくないか？　などと気遣ってくれるくらいでした。

＊

僕は僕で、あんなに夢中になっていた、傘のデザインのお仕事から、離れようとしていました。僕が傘の会社を辞めようと決めた理由は、このまま今の会社に居続けると、デザインの仕事をやりたくても出来なくなる事がわかってきたからです。

というのも、その会社で、40歳をすぎてベテランになっても、バリバリにデザインをしている男性は、残念ながら皆無でした。皆さん、完全にデザインから離れて管理職になっていくか、辞めていってしまうのです。一生もの作りをしていきたい僕からすると、この職場に骨を埋められない事は明らかでした。多少歳をとったからといって「もの作り」から離れる事はイメージ出来なかったのです。

さんざん考え抜いた挙句、僕はあれほど好きだった、傘作りの会社を辞める決心をしました。では、何をするのかというと、やはり「ものを作る仕事」しか考えられません。

そこで、前から興味があったけど、その頃はまだ「黎明期」であったＷｅｂデザインの仕事が出来ないかと考え始めました。その業界であれば、まだ圧倒的に作る人が足りない事もあり、作れる技術さえしっかりあれば、何歳になっても作り続ける事が出来ると思ったのです。

実際、この考えは、結果的に正解だった気がします。Ｗｅｂデザイン制作を「一度手に職をつければ、一生続けられる仕事」なんて言うつもりはありませんが、やり方次第では、色々なかたちでもの作りにこだわれそうな余地はあります。

ひでちゃんも、Ｗｅｂデザイン業界に、興味を持っていたので、僕とひでちゃんの目指す方向は、知らず知らずのうちに近づいていったのです。そんなこんなで、辞める決心をした僕ですが（よくある話ですが）、「辞めたい」と会社に切り出す暇もないくらい忙しくなり、終電続きで3ヶ月ほどがあっという間にすぎてしまいました。

そんな毎日の中でも、お昼休みなどを使って、Ｗｅｂデザインを学べそうな学校に目星をつけて、話を聞いてみたり、出来る範囲でリサーチは続けてました。

その頃、京都にいるひでちゃんから、久しぶりに電話があったのです。

＊

京都の病院で再検査してみると、思ったより経過が悪かったので、もう少し入院するという事でした。入院してしっかりと治したら、東京に行ってＷｅｂデザインに関わる仕事をしたいから、Ｗｅｂデザイン・あるいはオペレーションを学べるような学校を探してくれないか、という事でした。そこで僕のほうも、傘の会社を辞める事を決めた事やＷｅｂデザインの仕事に進もうと思っている事を、全部伝えました。

Ｗｅｂデザインにせよ、ＤＴＰデザインにせよ、アパレルデザインばかりやってきた僕からしてもグラフィックソフトを覚えるところから始めないといけないので、「一緒の学校に通おうか！」と誘ってみると、ひでちゃんは、「いきなりカマちゃんと同じクラスは無理だよ！」と言いつつも、「……やっぱり東京のほうがＰＣスクールとか多いな」などワクワクしている様子です。

ただ、少し体がだるいのと、胃潰瘍の症状が思ったよりも重く、手術する事になるかもしれないとも言っていたので僕としても不安ではありましたが、ひでちゃんが体を治している間に、ひでちゃんと僕が通うべき学校をキチンと選ぼう、と気を取り直しました。

僕はその後、いくつかの学校を見学して、一番条件に合う学校がわかってきました。そこは、一番難しいと言われているPhotoshopの授業に力を入れているようでしたし、しかもＭａｃを自由に使える自習室が完備され、ＨＴＭＬについてもしっかりと教えてくれそうでした。これからＷｅｂを学ぼうとする僕らにはピッタリでした。ようやく希望に沿う学校を見つけられたのです。授業料など詳細をひでちゃんに連絡しようと、集めた情報をまとめてもいました。

学校も見つけた事だし、ひでちゃんに連絡しようと思っていた矢先、京都の本社で働く営業の同期から、久しぶりに電話がありました。

＊

「ひでちゃんが京都の病院で亡くなった」

突然の事で意味がわからない僕に、ひでちゃんが胃潰瘍でなく、実は胃がんであった事、年齢が若かった事もあり、すごい勢いで全身にまで広がってしまい、手遅れになってしまった。この事は本人には最後まで知らせてなかったけど、実はわかっていたのかもしれないという事を話してくれました。その同期の友人も同じく新入社員研修で仲良くなり、3人で語り合った思い出があります。電話の向こうで、彼は泣いているようでした。

僕はといえば、その知らせを聞いた時の自分自身の状態やそれからの数日については記憶がまったくなく、どういう感情でいたのかはよくわかりません。後になって同僚から聞いた話ですと「もともと痩せていたけど、さらに痩せちゃって、本当に心配した」という事で、やはり相当にショックを受けていたようです。

数週間して、悲しむだけ悲しんだのか、少し落ち着いた僕の心に浮かんだのは、「ひでちゃんは結局、自分の思い描いた夢には届かなかったのか？」という事です。色々と準備して、これから夢に届くためのスタート地点に立とうという矢先だったじゃないか、という考えからなかなか抜けられませんでした。

そうはいっても、僕はこのまま立ち止まっているわけにはいきません。

「無理やりでいいから歩き出してみよう！」と、ひでちゃんと一緒に通おうと思っていた、Ｗｅｂデザイナー養成学校に一人で通い始めました。とりあえず会社は辞めず、仕事をしながら夜間コースを受ける事にしたのです。

その頃は、「人生で一番頑張った」と言えるほど頑張った気がします。自分の意思で寝た記憶はなく、毎日「倒れて寝る」を繰り返してました。ある意味、頑張っていく事で、悲しみも忘れるつもりだったのかもしれません。

傘作りでも最後のヒット作品を作ろうと頑張りつつ、Ｗｅｂデザインというまだ始まったばかりのデザインを覚えていく事は、想像以上にキツかったのですが、自分なりに「何か」が動きだしたように感じていました。その後、数ヶ月は、会社勤めを続けながら、会社帰りにもその学校の自習室に篭って、ひたすらポートフォリオを作っていました。

ひでちゃんの四十九日も終わり、1、2ヶ月くらい経った頃でしょうか。何とかポートフォリオも納得のいくかたちで完成したので、会社に辞表を提出しました。

ようやく「ひでちゃんと働けたら良いな」と密かに思っていたＷｅｂデザインの世界の入り口に立ち、僕一人で扉をノックしました。

ひでちゃんが力を貸してくれたのか、その後、1ヶ月くらいで、名のある制作会社への就職が決まりました。でも「もの作りを甘く見ちゃダメだよ！」という神様からの教えなのか、その会社は3ヶ月の試用期間を超える事なく辞めさせられてしまいます。完全な僕のスキル不足で、そんなに甘くはないですね。

そんな中でも、僕のほうはあまり落ち込みもせず、次の会社を探すために就職活動を始めました。初めから上手くはいかないものです。とにもかくにも、何とか僕はWebデザインの世界に漕ぎだしたのです。

＊

その後の僕の人生は、人並みに荒波続きでした。心臓手術も受けましたし、うつ病にもなりました。そんな僕を、支えてくれる僕にはもったいない一生の伴侶にも出会う事も出来ました。転職もして、思いがけず本まで出版させていただき、日々、本当に色々な事がありました。

実は、ひでちゃんが亡くなった後、一回だけ一人きりで新幹線で京都へ行って、お墓参りに行きました。その時に京都へ行く新幹線の車内で僕が考えていた事は、ひでちゃんが亡くなった時に心に浮かんだ、「結局、ひでちゃんは自分の思い描いた夢に届かなかったのか？」という事でした。ひでちゃんの「実はものを作る仕事をしたかった」という思いは、その仕事をするための学校にも通えなかった事実だけを見ると、スタート地点にも立てなかったわけです。

では、具体的に、夢に向かって歩きだせていなければ、夢に届かない人生なのでしょうか。そんなはずはありません。

思い描いていた夢のすべてをちゃんと達成し、幸せに綺麗に人生の幕が下りる、なんて人間は、多分一人もいないはずです。大抵は「夢の途中」で終わるのです。「その夢に完全に届いた！」なんて人はいないわけです。大切なのは夢に届いたかどうかではなく、夢に届くために、どれだけ一生懸命に自分に出来る事をしたか？　という事ではないでしょうか。

ひでちゃんは確かにものを作る仕事は出来ませんでしたし、学校に通う事も叶わなかったかもしれません。

でも、ものを作っている同僚にその事を打ち明け、相談の約束を取りつけ、学校探しまでさせ、その時自分が出来る範囲で夢に向かって歩いていました。

後から考えると、僕が京都へ行った理由は、自分が夢に届くために、今出来る事を一生懸命やっているのか？　を、ひでちゃんに報告するためだったともいえます。

僕がその時、漠然と考えていた夢は、ひでちゃんと初めて話した新人研修の頃からまったく変わっていません。

そう、デザインとは限りませんが、何かを作る仕事をいつまでも続けていきたいというささやかな思いです。あれから、10年以上経った現在でも、デザインや本の執筆をしている事が、一つの答えなら嬉しいです。その時、京都へ行ったのは、その夢を確かめるためだったかもしれません。

4章

届くデザイン

誰に向けて「届く」デザインなのか？

この本のタイトルを「届くデザイン」とした理由は、この短い言葉に「デザイン」の本質が込められてると思ったからです。

「自分が作るデザインを誰に向けて届けたいのか？」と聞かれたら、皆さん何と答えますか。

色々な答えがあるとは思いますが、一番「当たり前」に考えれば**「エンドユーザーとクライアント」という2種類の「お客様」**が正解ですね。

あなたが作ったデザインは、その2種類のお客様にちゃんと届いていなければなりません。

この**2種類のお客様に、少しも届いていないのなら、それはもう「デザイン」と言えないでしょう。**

初心者の方が練習作で、何を作るのか？　わからずに、ただ「自分が欲しいビジュアル」を、作るなら100歩譲って許されるかもしれません。しかし、**本来、デザインの本質は「クライアント**（依頼主）**が届けたい事を届けたいお客様**（エンドユーザー）**に**

伝える・届ける事」であって、それを実現するため、デザイナーの専門的なスキルが必要なわけです。グラフィックソフトの使い方を熟知しているだけでは、デザイナーとは呼べません。

「作ったものを誰に届けるのか？」という根本的な部分に、今一度目を向け、しっかりと理解したいですね。

この最終章では「届くデザイン」という、本のタイトルを基に、デザインの本質についてお伝えしていきたいと思います。

エンドユーザーに届いているか？

さて**エンドユーザーとクライアントの2種類の「お客様」**とはどんな人の事でしょう？　ご存知かもしれませんが、改めて整理してご説明します。

ざっくり言えば、**クライアントは、「あなたに対価を支払い、仕事を依頼してくれるお客様」**で、**エンドユーザーはあなたがデザインしたものを「実際に目にして使ったり購入してくれるお客様」**の事です。

「どちらにも届くデザイン」を目指すのが大切だと書きましたが、クライアントに比べ、このエンドユーザーというお客様は、目の前にいない事もあって、デザイナーの意識から外れてしまう事があります。

クライアントは、実際に打ち合わせをしたり、日々コミュニケーションを取っていくにつれ、距離がどんどん近くなっていきますし、最終的にOKをもらえないと納品も出来ないので意識せざるを得ません。

しかしエンドユーザーは、最後まで実態のない存在であるともいえ、デザイナーは作る過程で**「このデザイン誰が見る事になるんだろう？」と無理矢理にでも「実体」を作る（イメージする）必要があります。**

ですから、よく具体的に年齢とか性別を設定した「ペルソナ」などを作って、エンドユーザーを明快にしよう、実体あるものにしよう！　などデザイナーは心がけていくわけです。

ペルソナを作る理由は「エンドユーザーが誰なのか？」探るためです。

あなたがデザインしているデザインが、「炭酸飲料」のポスターなら、それを飲むであろうエンドユーザーの「ペルソナ」をあらかじめ設定し、どういったビジュアルイメージが刺さるのか？　探っていく感じでしょう。例えば「若い女性」だけではざっくりしすぎなので「20代後半の女性」など細かく設定していったりします。

そしてエンドユーザーに伝えたい事を伝えるためクライアントはデザインを依頼するので、**クライアントとエンドユーザー、双方の目指す場所は同じになるはずです。**

デザインを作る工程として、デザイン案にＯＫをいただくためになぜこんな風にデザインしたのか？　わかりやすく伝えるために、時には企画書を作り、練り込まれたプレゼンを用意して、クライアントへ向けたコミュニケーションをします。

「このデザインのコンセプトは何か？」という論理的な説明も、クライアントにはすぐに届ける事が出来ます。もちろん目の前にいるからといって、クライアントの希望だけを叶えようとはせず、良い意味でその要望を超えて驚きも与えるような提案もしていきます。

エンドユーザーに対しては当たり前ですが、**「言葉」で自分のデザインについて語る事など出来ません。**エンドユーザーが目にし、情報を知る手がかりは（グラフィックデザインであれば）、ビジュアルデザインだけなのです。歌手であれば歌、料理人なら料理でしかコミュニケーションは出来ません。同じように、デザイナーは、**言いたい事はすべて「ビジュアル」に込めなければなりません。**でも、それこそが「デザイン」というモノです。

そういう意味ではエンドユーザーの評価こそ、実はデザイナーにとって大切なものです。しかしこの2人のお客様は性質が違うけれど、敵対するのかといえば、そんな事はありません。**エンドユーザーに喜んでもらえれば喜んでもらえるほど、クライアントも喜ぶ**わけで、デザイナーとクライアント、そしてエンドユーザーの見ているゴールは同じなわけです。

日々、デザインのやりとりをしていく中で、エンドユーザーの姿が見えなくなったりもするでしょう。しかし、エンドユーザーが自分のデザインを見る事・使う場面の事を、今一度思い出して、彼らに本当に伝わるか？　見直すようにしてみましょう。**何の説明もなく、ビジュアルだけであなたのデザインはエンドユーザーとコミュニケーションが取れるものとなっているでしょうか？**

「あなたのデザインは本当にエンドユーザーに届いているのか？」

その事を確認するのは、自分のデザインがデザインとして成立しているか？　と同じ意味を持つかもしれません。そしてその**考察が深まれば深まるほど、クライアントへの説得力も増す**はずです。

制作プロセスの中でも、この部分を毎回意識して思考を重ねている人は、そうでない人より、**圧倒的に成長が早い**と思います。

なので、「エンドユーザーに（デザインで伝えたい何かが）届く」という意味と価値を、今一度大事にしてみましょう。エンドユーザーの視線を忘れない事です。

どうすればクライアントに**ＯＫ**を戴けるか？

先に書いたように、エンドユーザーに届ける事が最終的な目的ですが、依頼者でありお金を出してくれるクライアントのＯＫを経て初めて、あなたのデザインは世に出る事も事実です。ですから、まずは**クライアントの要望を叶えたうえで、その想像を超えるものの提示**を目指し、デザインしていく事は必須です。

プロとしてお金を戴く以上、クライアントにきちんとデザインを届けられるか、そして満足して、ＯＫを出していただけるかは、この道で食べていくために避けて通る事は出来ません。

クライアントとともにエンドユーザーに届くよう作る姿勢

理想としては、クライアントとデザイナーは、**エンドユーザーに届けるデザインを一緒に作り上げる相棒同士**（パートナー）**になると最強**です。クラインアントとエンドユーザーは反目し合う存在でもなく、エンドユーザーに受け入れられるデザインが出来ればクライアントの利益になるはずなので、「一緒に、○○をエンドユーザーに届けるため」という**共通目的意識を持ったクリエイティブなパートナーを目指せば良い**はずです。

そのために必要なのは、デザイナー側がどれだけエンドユーザーの事を調べ、理解し、ターゲットに刺さるデザインを用意出来るか？　にかかっています。

クライアントは大抵はデザイナーに依頼するまでの間も、エンドユーザーに対してより深く考え抜いてきたはずなので、クライアントへのヒアリングの時間も非常に大切な場となります。この場で直接「クライアントが捉えるエンドユーザー像」をちゃんと聞き込む事も大事です。しかし、片一方でクライアントが間違ったターゲティングをしてしまい、期待した成果をあげられていない場合もあります。

ですから、ただクライアントの言う事を肯定しているだけでなく「客層自体が変わってきたのでサイトのデザインがズレてきたのでは?」など、「仮説」を立て、原因を探る事も必要でしょう。「ヒアリング」と言うと受け身で良いと思われる方も多いでしょうが、デザイナーは常に**「こうしてみたら？」と提案する姿勢も忘れてはなりません。**

また、悪い結果につながりそうな指示をクライアントが出してきた時には、そう思う理由を丁寧に説明して、的確な代替案を提示すべきです。クライアントの指示をただ打ち返すだけではなく、その要望の真逆の提案でも効果が上がりそうであれば伝えていくべきですし、クライアントが納得し満足すれば、逆に信頼にもつながります。

例えば、クライアントが「このスペースに１０００文字の文章を入れたい」など、小さなスペースに明らかに、多過ぎる文字数を提示してきたなら、これくらいならば可能で、何とか少なくできないか？　とか、あるいはどうしても１０００文字必要な内容であれば（Ｗｅｂデザインの場合）「別画面表示にしてみては？」と代替案を提示してあげる感じです。

なかなか難しい事ですが、**デザイナーとしてあなたに求められている事は「こういった専門家にしか出来ない提案」だと思います。**

まずは**クライアント自身でさえ気づいていない要望を見つけ出すくらいのヒアリング**をしましょう。そしてクライアントはもちろん、その先のエンドユーザーにきちんと届くデザインを作り上げていきたいですね。

同業者の方(デザイナー)に届いているか？

「同業のデザイン業界の方にも届くようなデザインを作りたい」と話すと「いや、日々直接お客様の反応を聞いてるので必要ないでしょ……」と言う方もいますが、実際にお会いするお客様（クライアント）の反応だけを見ていると、自分のデザインが、どのレベルに達しているのか？　俯瞰出来なくなったりする事がよくあります。

大抵のクライアントは、少しばかりクオリティに不満があったとしても、社交辞令的にお礼の言葉を言うもので、それを**そのまま受け取っているだけだと自分のデザインを、過大に評価しかねません。**

でも、同じ会社の同僚で、あなたと気心が知れている友達がいたら、結構思った通りの意見をずばりと言ってくれたりしますよね（もちろんそれは信頼や親しみがあってこそですが）。そんな風に**「遠慮も忖度もない言葉を投げてくれる同業者の仲間」**がいたら、少しばかりムッとしちゃう事を言われても(笑)、感謝して意見をもらうようにしたいですね。

また、例えば、同じ会社に勤めていた同僚や先輩が退社し会社が別々になった後でもつながりがあるようでしたら、たまに「最近、こんなデザイン作ってます」なんて、デザインとして世に出たものに対して意見をもらうのも勉強になるでしょう。

デザイン界は、なかなか流動性がある業界で、結構すぐに同僚や先輩が会社を離れたり、逆にあなたが違う場所へ移る事も起こると思います。

でも、一時期一緒に働いた絆は、結構固かったりもするので、もし別の場所で頑張る事になった、気になる同業者がいれば、そんなに親しくなかった気がしても「ダメ元」で連絡しても良いかもしれません。実際、僕の経験でも短期間しか関わらなかった同業者の方に連絡してみたら、すごく喜んでくれた事があります。

人間関係の距離感は、個々に色々あるでしょうから、わかりませんが、デザイナーは**孤独であるからこそ、そういった「ありがたい縁」は、気にしておくと良い**かもしれません。

いずれにせよ、**本音で忖度なくあなたのデザインを批評してくれる同業者は、貴重な存在**です。彼らにもしっかりと届くデザインを作りたいものですね。クライアントとはまったく別の、プロの同業者の辛口の採点でもしっかりと良い点数を取りたいですね。

デザインにまったく興味がない人に届いているか？

（先ほどの「同業者」とは真逆の方達ですが）僕が美大予備校や美大で学んだ若い頃、**「自分達のデザインが、デザインなど、まったく興味のなさそうな方に、何と言われるのかを常に意識しなさい」**と講師に言われました。

そう、デザインってデザイナーのものだけではなく、すべての人のためにあるものなので、クライアントにしか響かないデザインを、作っていても仕方がないわけです。

例えば、作っている人達が「これが新しいデザインだ！」と盛り上がり、斬新なイメージで仕上げた作品が、一般の人からは「何が良いのかわからん！」と不評を買う現象はよくある事です。自分が働いている場という「楽屋」の中での「楽屋オチ」にならないようにしたいですよね。もちろん、デザイナーである自分達は専門家なので、そちらの評価を下げる事なく、プロのデザイナーにもデザインに興味のない方にも「素敵！」と言ってもらえる、デザインを目指したいものです。

僕個人の経験としても、過去に会社でデザインをしていて、何かに迷い……誰かの感想が欲しくなった時には、意識して「デザインと関係のない部署（総務とか経理とか受付とか）の同僚」に見てもらっていました。

デザインと関係のないお仕事をされている方のニュートラルな意見のほうが、エンドユーザーの感想に近いようで、参考になる事が多かったです。

特にデザインに興味のない方に、どう思われるのだろうか、と意識する事は、すなわち世間一般のエンドユーザーがどう思うか、ちゃんとその方々に伝わるかどうかを考える事とほとんど同義ですし、社内にいらっしゃるデザイン業務と関係ない仕事をされている方々の先には、エンドユーザーがいる！　と考えたいものです。

「デザインって一体誰に届くべきなのか？」。この問いは「デザインとは一体、誰のものなのか？」という問いと、ほとんど同じです。

その「答え」は「デザインはすべての人に届くべきだし、すべての人のためにある」となります。**デザインとは決して「デザイナーやデザインに興味がある人」だけのものではありません。**

同じチームの仕事仲間には届いているか？

ここからは純粋に「デザインのクオリティ」とは少し離れた話となりますが、大事な部分ですので書かせてください。制作現場で一緒に戦う仲間の話です。

フリーランスも、会社員デザイナー同様、デザイナー一人きりで仕事をする事は滅多にありません。自分の領域（デザイン）内は、自分だけの孤独な戦いとなりますが、ディレクターや営業担当者、現場の上司など、関わる人は意外と多いものです。

その人達に、デザインは当然ですが、**あなたの「仕事に対する姿勢」は届いていますか？**

もしかしたら、デザインの出来よりも、あなたの仕事の進め方や仕事に対する姿勢について、周りの方があなたにどのような評価や感情を持つのか？　が、大切な場面もあるかもしれません。

例えば、すべての修正がこれで最後だと言っていたのに、クライアントから直接営業担当者に電話が入り、修正をお願いされる事もありますよね。簡単なテキスト修正程度なら、当然クライアントのために、そして営業（あるいはディレクター）として**矢面に立っている同僚のために、進んで直してあげましょう。**

「これで完了」と言われた後に（レイアウトが変わるような）、大幅な修正であれば、他の業務にも支障をきたしかねないですし、安易に一からやり直しなどせずに、**やるかやらないかを話し合って決める事も大切**で、ディレクターが断るべき事もあるかもしれません。でも、15分で終わるような文言修正であれば、もう、あなたの一存でやってあげてしまいましょう。

まあ、この修正を、する・しないというのはほんの一例ですが、案件制作（進行）は、チームプレイで、**ある種「同じ船に乗っている仲間」**でもあるので「おたがい様」という気持ちで、自分の少しばかりの作業で、チームの誰かが助けられるなら、そして作品自体が良くなるなら、進んでやるようにしましょう。

ここのあたりの「デザインのクオリティ以外の部分」って地味なようで、すごく大事な時があります。船に乗っている仲間が、無事にゴールに着く事が大切なのは当然ですが、気持ち良く一緒の船に乗れているかどうか？　を気にしないとならない場面って現場ではよくあると思います。

関わる人全員にとって、大事にする部分が微妙に違うので、なかなか難しいところですが、最終的に目指すものは同じで、**「あの人に頼めばやりやすい」というシンプル**

な評判は積み重ねると、結構大きな評価となるものです。

しかし、あまりガチガチにこちらが対応を決め過ぎると、仕事を出す側も二の足を踏む事もあります。ある程度の（これ以上は追加料金などの）ラインは持ちながらも、柔軟に対応出来るようにしたいモノですね。

制作会社で働く場合も、フリーランスの場合も、**周りに向けての柔軟性のある対応を見せる事やほんの少しの思いやりの積み重ねが大事**です。こうした事が、あなたへの信頼感を醸成しています。もちろん、最後はデザインの出来で決まるのですが、その素敵なデザインの輝きを小さくしないためにも周りと良い関係を築きましょう。デザイナーだけではなく、様々な職種の社会人と共通するスキルかもしれませんね。

「感性」にも「論理性」にも届くデザインとなっているか？

最後に、すべての人に届けるために、どんなデザインを作れば良いのかについて、触れてみたいと思います。

そう、答えは見出しの通りで、すべての人に届けるためには「感性」にも「論理性」にも届くデザインとなっていなければなりません。**「デザインとは『感性』と『論理**

性』に架ける橋のようなモノである」。これは、20年以上デザインと格闘してきた僕が「デザインとは何ぞや?」という問いに対して、無理矢理に一言で答えてみた解答です。デザイナーでも「デザインは問題解決なので特に絵が描けなくても良い」と強調する方がたまにいますが、絵を描く画力は必要なくても「絵の事がわかる感性」(絵心)は、必要だったりしますよね。優れたビジュアルでしか解決出来ない問題もありますからね。

反対に、論理的にデザインを構成する力も必要になります。「感性」と「論理性」一概にどちらが大切ともどちらが上だともいえないですし、**「どちらも大切なデザインの要素」**です。

僕が理想的だと思うデザインは、**「途中までは、すべて論理的に説明が出来るけれど、ある段階から、言葉で上手く説明が出来なくなるような感性にも響くデザイン」**です。「何を都合が良い事を言ってるんだ?」と怒られそうですが、この理想とも取れるゴールを目指す事で、本当の意味で、人の心に届くデザインが出来るようになると感じます。それこそ、すべての人に「届くデザイン」のカタチなのかもしれません。

おわりに――宮沢賢治の「告別」とデザインの道

告別

おまへのバスの三連音が
どんなぐあいに鳴ってゐたかを
おそらくおまへはわかってゐまい
その純朴さ希《のぞ》みに充《み》ちたたのしさは
ほとんどおれを草葉のやうに顫《ふる》はせた
もしもおまへがそれらの音の特性や
立派な無数の順列を
はっきり知って自由にいつでも使へるならば
おまへは辛《つら》くてそしてかがやく天の仕事もするだらう

泰西著名《たいせいちよめい》の楽人たちが
幼齢　弦《げん》や鍵器をとって
すでに一家をなしたがやうに
おまへはそのころ
この国にある皮革《ひかく》の鼓器《こき》と
竹でつくった管《くわん》とをとった
けれどもいまごろちゃうどおまへの年ごろで
おまへの素質と力をもってゐるものは
町と村との一万人のなかになら
おそらく五人はあるだらう
それらのひとのどの人もまたどのひとも
五年のあひだにそれを大抵《たいてい》無くすのだ
生活のためにけづられたり
自分でそれをなくすのだ
すべての才や力や材といふものは
ひとにとどまるものでない

（ひとさへひとにとどまらぬ）
云はなかったが
おれは四月はもう学校に居ないのだ
恐《おそ》らく暗くけはしいみちをあるくだらう
そのあとでおまへのいまのちからがにぶり
きれいな音が正しい調子とその明るさを失って
ふたたび回復できないならば
おれはおまへをもう見ない
なぜならおれは
すこしぐらゐの仕事ができて
そいつに腰をかけてるやうな
そんな多数をいちばんいやにおもふのだ
もしもおまへが
よくきいてくれ
ひとりのやさしい娘をおもふやうになるそのとき
おまへに無数の影と光の像があらはれる

おまへはそれを音にするのだ
みんなが町で暮したり一日あそんでゐるときに
おまへはひとりであの石原の草を刈る
そのさびしさでおまへは音をつくるのだ
多くの侮辱《ぶじょく》や窮乏《きゅうぼふ》のそれらを噛《か》んで歌ふのだ
もしも楽器がなかったら
いいかおまへはおれの弟子《でし》なのだ
ちからのかぎり
そらいっぱいの
光でできたパイプオルガンを弾《ひ》くがいい

（日本の詩集8　宮沢賢治詩集、角川書店）

名作「銀河鉄道の夜」を知らない人はいないでしょうが、この詩の存在を知っている人は、少ないようで、僕の知人では誰もいませんでした。それくらい賢治の作品の中ではマイナーな作品かもしれません。

しかし、非常に鋭く、厳しく、そして「本当の優しさ」を込めて、教え子達に語りかけているなと思いますし、不思議なパワーに満ちた詩ではないでしょうか。

そして、この本を読んでくれた皆さんに、最後にこの詩を是非ご紹介したいと思ったのは、この詩が「もの作り」の本質を深く語っているように感じたからです。

冒頭、教え子の一人を賢治は優しい眼差しで褒め称えます。初めて僕がこの詩を読んだ時には、最初の調子のまま牧歌的に、全編通し優しい調子で続いていくと思っていました。ですが、途中から驚くほど冷徹に「ものを作る事の厳しさ」について、賢治は語り始めます。

僕がまず、驚いたところはこのくだりです。

それらのひとのどの人もまたどのひとも
五年のあひだにそれを大抵《たいてい》無くすのだ
生活のためにけづられたり
自分でそれをなくすのだ

「五年のあひだにそれを大抵無くすのだ」というくだりには、どきりとしました。

5年という期間にすごい「リアリティ」を感じてしまったのです。

実際、日々デザインと向き合い、色々な環境で仕事をする中で、5年というのは、デザイナーという仕事で生き残っていくために超えなければいけない時間的な壁であると僕自身も捉えていたからです。

「五年のあひだにそれを大抵無くすのだ」と、サラリと言っていますが、賢治の時代から、100年近く経っていますが、実は本質は何も変わっていないという事なのでしょうか。

そしてさらに、重く響いた言葉は、次の一節です。

生活のためにけづられたり
自分でそれをなくすのだ

「自分でそれをなくすのだ」という言葉にさらに衝撃を受けました。「結局は自分で諦めるんだから人のせいになど出来ない」と言われているように感じ、少し冷たいニュアンスさえあります。

確かに私達は、何か大切な決定をよく誰かのせいにしたり、何かのせいにしてしまいます。この頃の賢治や賢治が教えていた生徒がどれだけ大変な生活をしていたか？正直、わかりませんが、「生活のためと言いわけするな、自分で決めていることだ」とあえて厳しい言葉で、強い決意を促しているようにも感じます。

そして、逆説的にですが、「自分でそれをなくさなければ、ものを作る事（デザイン）は続けられる」とも受け取りました。「何を呑気な事を……」と言われそうですが、「デザイナーを続ける一番強力な方法」はやめない事だと思ってます。

自分自身で「デザインを続けたいという思い」をなくさない事です。もちろんデザインだけがすべてではないし、他のお仕事が自分に合うと思うなら前向きに離れていく事も素敵だと思います。しかし、もし「デザインを続けたいんです。どうすれば良いでしょうか」と聞かれたら「やめない事です」と馬鹿正直に答えます。もしかすると、この一節「自分でそれをなくすのだ」には、「なくすかどうかは自分で決めているんだ」という前向きで深い意味も込められている気さえします。

「やめない事」は簡単な事ではありません。「ものを作る」現場は、色々な人間の思いが行き交い、それぞれ誰も悪くないのに、つらくなる時も少なくはありません。しかし、片一方でやはり何物にも代え難い喜びが溢れている世界でもあります。どんなかたちであれ、この本を読んでくださった方達には「自分でモノを作る喜び」をなくさないでもらいたいな、と思います。

学校を去る事を告げた賢治は、「きれいな音を持ち続ける方法」を自分なりの言葉で伝えてくれています。この詩のたまらなく美しいくだりで（詩なので、そのまま使えるTipsでも何でもありませんが）、読んでいると「すべての日常を音に変えろ」と、愛のある無茶振りをされている気にもなって、不思議に気持ちは上がってきます（音もデザインも同じだと思います）。

ひとりのやさしい娘をおもふやうになるそのとき
おまへに無数の影と光の像があらはれる
おまへはそれを音にするのだ
みんなが町で暮したり一日あそんでゐるときに
おまへはひとりであの石原の草を刈る

そのさびしさでおまへは音をつくるのだ
多くの侮辱《ぶじよく》や窮乏《きゆうばふ》のそれらを嚙《か》んで歌ふのだ
もしも楽器がなかったら
いいかおまへはおれの弟子《でし》なのだ
ちからのかぎり
そらいっぱいの
光でできたパイプオルガンを弾《ひ》くがいい

最後はもう「楽器がなくても音楽は奏でられる」という境地にまでいっていますが、人の心や精神が、結局人の行先を決めるという意味では、これらの言葉もリアリティを持って響いてきます。

何もなくても、頭の中にメロディが飛び交うくらいでないと音楽は作れない、と言われてるようだし、デザインを作るうえでも、その姿勢はとても大事な事だと感じます。

この本では、他の本では触れるのを避けているような事もあえて書かせていただきました。デザインという仕事を続けていくのはなかなか厳しく、生半可な覚悟では出来るものではないので、ただ「簡単で素敵なお仕事だ」で終わらせたくなかったのが本意です。

この本を読んでくださった皆様が「何か、色々と面倒そうだけど、デザインって面白そうだな」と少しでも思ってくれたら、とても幸せです。

最後まで読んでいただき、ありがとうございました。

【謝辞】

最後に、引き続き書籍化の企画・編集をしていただいた旬報社の粟國志帆さん、装丁デザインの西垂水敦さん（krran）、ページデザインの木下悠さん、組版をしてくださったキヅキブックスさん、素敵なカバーイラストを描いて下さったみずすさん、いつまでも執筆に追われている僕を応援してくれた妻に感謝します。

プロフィール

鎌田隆史（かまた・たかし）

1966年生まれ。東京都出身。多摩美術大学美術学部グラフィックデザイン科卒業。アパレルデザイン・Webデザイン・DTPデザインと幅広く、デザイナー・アートディレクターとして活躍。現在は、Webデザイン会社勤務。2008年より、デザインの基礎を誰にでもわかるように解説するメルマガ「プロが教える美大いらずのデザイン講座」の配信をはじめると、「センスというモノの正体がわかった！」「私でもデザインできる！」と反響を呼び、登録読者数3,600人の人気メルマガとなる。2021年、初の著作『センスがないと思っている人のための読むデザイン』（旬報社）を出版。ほぼ毎日、X（旧Twitter／フォロワー数4,600人）でデザイン初心者に向けた情報発信をしている。

■ X（旧 Twitter）@designdoor
https://twitter.com/designdoor
■ブログ＊ Design Door
https://designdoor.xsrv.jp/core/
■メルマガ
プロが教える「美大いらずのデザイン講座」
https://www.mag2.com/m/0000267534
■ YouTube Drawing Cafe
https://qr.paps.jp/2QcRT

プロだけが知っている届くデザイン

2023年10月10日　初版第1刷発行

著　者　　　　　鎌田隆史

カバーデザイン　西垂水 敦・松山千尋・内田裕乃（krran）
カバーイラスト　みずす
本文デザイン　　木下 悠
組版　　　　　　キヅキブックス
編集　　　　　　粟國志帆
発行者　　　　　木内洋育
発行所　　　　　株式会社旬報社
〒162-0041
東京都新宿区早稲田鶴巻町544　中川ビル4F
TEL 03-5579-8973　FAX 03-5579-8975
HP http://www.junposha.com/
印刷製本　　　　中央精版印刷株式会社

ISBN978-4-8451-1801-4

好評発売中！

センスがないと思っている人のための

読むデザイン

鎌田隆史 著

ノンデザイナーも　新人デザイナーも
センスを試されているビジネスマンも
ページをめくるたびに
センスがよくなる！
「深いけど、わかったかも」な
デザインのひみつ

四六判並製・208頁・1500円（税別）
ISBN 978-4-8451-1693-5